Wolfgang Büscher
Peter Wensierski

Null Bock auf DDR

Aussteigerjugend im anderen
Deutschland

SPIEGEL-BUCH

Umschlagentwurf SPIEGEL-Titelgrafik
Foto Süddeutscher Verlag
Veröffentlicht im Rowohlt-Taschenbuch Verlag GmbH,
Reinbek bei Hamburg, Januar 1984
Copyright © 1984 by SPIEGEL-Verlag
Rudolf Augstein GmbH & Co., KG, Hamburg
Satz Times, Utesch Satztechnik GmbH, Hamburg
Gesamtherstellung Clausen & Bosse, Leck
Printed in Germany
ISBN 3 499 33047 4

Inhalt

1
Ein Gespenst geht um in der Mitropa 7
Szenen aus ostdeutschen Städten

2
«Das ist die Schuld der Väter» 13
Punks und Provos

3
«Unsere Zukunft hat schon begonnen» 37
Die Ökologiebewegung

4
«Die da oben sind der Untergrund» 73
Die Kulturpolitik

5
«Mein Leben ist noch nicht gelaufen» 91
Sechsmal DDR privat

6
«Zahlen und dann raus» 117
Die Homosexuellen

7
«Du bist eine Niete, Mann!» 125
Die sanfte Revolte der Frauen

8
«Der Atompazifismus ist hoffähig geworden» 133
Die Kirche und die Friedensbewegung

9
«Da ist alles so unheimlich offen»   165
Jugend zwischen Staat und Kirche

10
«Wir saufen und fressen uns Charakter an»   177
Der Vergleich mit dem Westen

1
Ein Gespenst geht um in der Mitropa

Szenen aus ostdeutschen Städten

Frühlingssonne an einem Sonntagnachmittag, lazy after-
noon im Ost-Berliner Stadtbezirk Prenzlauer Berg. Die
breiten Gehwege links und rechts an der Schönhauser Allee
sind so belebt wie an einem Wochentag. Vor dem «Wiener
Café» sitzt die Kundschaft bei Eiskaffee und Bier. An einem
der Tische unterhalten sich angeregt vier Jugendliche. Drei
von ihnen sehen ganz normal aus, der vierte, dem sie zuhö-
ren, hat sich das Haupthaar teilweise abrasiert und den
asymmetrischen Restwuchs grün eingefärbt. Das Mädchen
ihm gegenüber, in weißer Sonntagsbluse, schaut immer wieder an dem Punk herunter. Ihr Blick bleibt jedesmal an den
Löchern seines T-Shirts hängen. Und an der Aufschrift
«CHAOS», die weithin lesbar darauf gemalt ist.
  Die vier fühlen sich schnell beobachtet. «Spanner, geh'
weiter!» Sie wollen unter sich reden, nichts für neugierige
Westler. Ein paar Schritte weiter stehen riesige Propagan-
datafeln auf dem Gehweg. Lucie Lehmann und ihre werktätigen Kollegen sind darauf ausgestellt – große Porträtfotos
mit ihren persönlichen Arbeitstaten und Arbeiterdaten:
«Unsere Besten», öffentlich ausgestellt von einem kommunalen Ost-Berliner Dienstleistungsbetrieb.
  An der nächsten Kreuzung kommt einer im Hemd ange-
rannt, ob er darunter noch was trägt, ist ungewiß. Zwei
Schlipsträger springen umgehend auf die kleine Provokation an. Feixend bleiben sie stehen, zeigen mit ihren Fingern
auf den Halbnackten, johlen ihm hinterher, als er in einem
Hauseingang verschwindet. Keiner der drei ist über
zwanzig.

Währenddessen überträgt Radio DDR eine Unterhaltungsveranstaltung aus dem «Pratergarten» in der Kastanienallee, keine zehn Minuten zu Fuß entfernt. Die Szenerie ist filmreif: Auf Stühlen und Bänken sitzen Männer mit altmodischen Schlaghosen und Plastiksonnenbrillen neben kahlgeschorenen Hundehalsbandträgern. Ein Schwulenpärchen steht etwas versetzt am Rande. Sie alle schlürfen ihr Bier und verfolgen mit regungslosen Mienen die Unterhaltungskünstler auf der Bühne. Die Combo intoniert gerade den Hit «Copacabana» aus den fünfziger Jahren. Go-Go-Girls mühen sich ab, Stimmung aufkommen zu lassen. Durch die absurde Szene stakst der Radioreporter mit seinem drahtlosen Mikro und fragt einzelne Gäste, wie es ihnen denn heute hier gefalle. «Och, gut!» Der Reporter versucht, die allzu kärglichen Auskünfte mit seinem eigenen Wortschwall aufzubessern. Endlich hat er einen alten Kollegen entdeckt. Erleichtert wendet er sich an ihn: «Ihr kennt ihn alle von Funk und Fernsehen! Nun sag mal, Günther, wie ist es denn so in Sachsen? Sehnst du dich nicht manchmal nach Berlin zurück?» Günther berichtet, daß es auch in Sachsen gut ist. Dann ist wieder die Combo dran.

Was ist Punk? Eine Mode aus England? Ein Name für die DDR? An diesem Nachmittag in Ost-Berlin jedenfalls sind Protest-Punk und real existierender Punk kaum zu unterscheiden. Wer parodiert hier eigentlich wen?

Varieté im «Café Prag» in Dresden. Es ist Samstagabend, 18 Uhr. Hier sammeln sich die älteren Bürger. An den kleinen Vierertischen trinken die Männer Schnäpse und Biere, die Frauen essen Sahnetorte und trinken Wein oder Kaffee. Die Kapelle spielt alte Westschlager, zwischen ihr und dem Publikum führen Kunstturner und Jongleure ihre Stückchen vor. Ein Conférencier kündigt in breitem Sächsisch das jeweilige «Jannger» an.

Unten auf dem Altmarkt vor dem Lokal haben ein paar hundert Jugendliche die Straße vor der Kreuzkirche besetzt. Die Gäste im «Prag» können es nicht sehen, die schweren

Vorhänge vor den Fenstern sind zugezogen. Während die Café-Kapelle Bert Kaempferts «Strangers in the night» spielt, stimmen die da draußen zur Gitarre gerade einen anderen US-Song aus den sechziger Jahren an: «We shall overcome». Zwei Volkspolizisten beobachten die Szene aus der Distanz. Trabis und Wartburgs müssen sich mühsam durch die Menge hupen. Es ist der 13. Februar 1982.

Für 20 Uhr ist das Friedensforum der evangelischen Kirche Sachsens in der Kreuzkirche angesagt. Den ganzen Tag über sind ununterbrochen Jugendliche in die Dresdener Innenstadt geströmt, viele mit Schlaf- und Rucksäcken bepackt. Am nächsten Montag wird in der West-Presse stehen: «5000 DDR-Jugendliche bei kirchlicher Friedenskundgebung.»

Am 9. Mai 1983 bringt das Ost-Berliner Kabarett «Die Distel» ein Sonderprogramm zum 50. Jahrestag der Bücherverbrennung durch die Nazis. Im «Distel»-Domizil gegenüber dem S-Bahnhof Friedrichstraße sind zwei weitere renommierte DDR-Kabaretts aus Potsdam und Leipzig dabei. Familiär geht es zu. Kaum einer im Publikum, der nicht das ovale SED-Abzeichen trüge. Die Schau gerät über weite Strecken zur Talk-Show – alte Genossen werden auf der Bühne vorgestellt, man plaudert über die alten Zeiten. Sobald die Kabarettisten im Publikum bekannte Funktionäre erkennen, werden auch sie begrüßt. Hier ist der Ort, wo man – nach Feierabend sozusagen – über sich und seinesgleichen auch mal schmunzeln darf. «Das Amüsierkabinett der Genossen» nennt eine Ost-Berliner Parteiführertochter die «Distel».

Würde der eine oder andere Kabarett-Gast an diesem 9. Mai in der Pause kurz nach 21 Uhr mal um den Block schlendern – die Feiertagsstimmung würde ihm versaut. Hundert Meter weg von der Stätte der sozialistischen Familienfeier schleppt ein Sechzehnjähriger sein großes Kofferradio die Straße rauf und runter. Den Lautstärkeknopf hat er bis zum Anschlag aufgedreht, der Song des West-Rockers Udo Lindenberg an SED-Chef Erich Honecker kommt gut und deutlich zwischen den hohen Häuserfronten der Clara-Zetkin-Straße: «Du ziehst Dir doch heimlich auch gerne mal / die Lederjacke an / und hörst West-Radio, / hallo, Erich, kannst' mich hör'n?»

Ob Punker, Pazifisten oder Udo-Lindenberg-Fans – die DDR hat in den letzten paar Jahren kräftig aufgeholt. Im Lande des ehemaligen FDJ-Führers Erich Honecker ist eine Jugendszene erblüht, die den Vergleich mit dem Westen nicht zu scheuen braucht. Längst haben sich Ost-Popper Walkmen ums Hirn und Rollschuhe unter die Sohlen geschnallt. Auf dem Ost-Berliner Alexanderplatz drehen sie ihre Runden. Im traditionell-proletarischen Alt-Berliner Viertel Prenzlauer Berg gehören grellbunt frisierte, schwarzgewandete und kettenbehängte Punks zum Straßenbild. Und die politische Sektion der Jugendszene – Ökologen und Pazifisten – sorgt seit drei Jahren konstant für Schlagzeilen in der westlichen Presse, aber auch für polemische Kommentare in den DDR-Medien.

Von unnachahmlicher Einzigartigkeit ist die Konfrontation zwischen DDR-Punk und DDR-Normalität. Die proletenhaft-unmoderne und anti-modische Attitüde der Punker ist gar nicht weit entfernt von der Art, in der normale DDR-Bürger sich kleiden, einrichten und geben. Die schrillen Farben der Trabant-Autos («Trabis»), die spröde Gastlichkeit der Mitropa-Kneipen, das Design der Waschmittel- und Fertigsuppenpäckchen mit Namen wie «Spee» und «Suppina», die «Favorit»-Kekse, die «Markant»-Schreibgeräte, das Hallenser Frisörgeschäft «neue linie», die Ost-Berliner «Haarkunst Pankow» – alles klingt nach Ludwig Erhard und schaut aus wie eine Transplantation aus der Nierentischära. Oder wie deren Renaissance im Westen: Das Styling westlicher Punk- und New-Wave-Schuppen ist dieser trostlosesten Phase der deutschen Nachkriegsgeschichte nachempfunden, und die wiederum ist in Deutschland-Ost tiefgefroren aufbewahrt.

Auf die eingeweckten Fifties vor der Haustür greift vor allem die West-Berliner Subkultur seit Jahren als Rohmaterial ihrer Moden zurück. «Interzone», «CCCP», «White Russia» und «Leningrad Sandwich» nennen sich West-Berliner Punk-Rock-Gruppen. Die Mauer ist längst zum weißen Brett für Ankündigungen von Rock-Veranstaltungen und Szene-Ereignissen geworden, Designer nutzen sie gern als Background für Plattencover und neuerdings auch für Berlin-Postkarten. In der Bleibtreustraße bietet Laden an Laden die Plasteklamotten nach DDR-Machart an, der abgelegenste heißt «Intershop». Sollte die DDR irgendwann einmal ihre so oft verspottete «Plaste-und-Elaste-aus-Schkoppau»-Reklame an der Autobahn nach Leipzig verschrotten wollen – in West-Berlin würden sich sicher gut zahlende Abnehmer finden. Es ist der Reiz der fließenden Übergänge zwischen Spießer- und Subkultur, den der westliche Szene-Gourmet genießt.

Aber auch Ost-Punks beweisen Sinn für historische Ironie. «'Ne Schrankwand, Fernseher und 'ne schöne Frau» witzelt ein DDR-Punk auf die Frage, wie er sich seine Zukunft vorstelle. Trotz aller Widrigkeiten, mit denen Staat und Bürger ihm und seinen Kumpels das Leben schwer machen, sind die ostdeutschen Aussteiger noch witzig genug, um selbst mit Staats-Lametta zu spielen. Als zünftiges Outfit und als Accessoires dient der Schrott ihrer frühen bürgerlichen Jahre: die Abzeichen für gutes Lernen, die Banner für besondere Kollektivleistungen, die kleinen rot-goldenen Embleme zu den Staatsfeiertagen und die Medaillen der deutsch-sowjetischen Freundschaft.

Ein aktiver FDJler kann bis zum Ende seiner Schulzeit gut und gern auf einen Schuhkarton voll Ehrenblech kommen. An den Jacken von DDR-Punks kommen sie wieder zur Geltung, neben «Piss off»-, «Sex Pistols»- und Anarcho-stickers, die West-Freunde mitgebracht haben.

HO-Kaufhallen bieten zudem jede Menge anderes Spielzeug für die Subkultur, staatliche Textilgeschäfte sind ein punkiges Einkaufsparadies: von der Kunstlederjacke über die schaurig-schöne Plastiksonnenbrille bis hin zur *Freundschaft*, der «Tageszeitung der sowjetdeutschen Bevölkerung Kasachstans».

Die Rückreise in die fünfziger Jahre ist für DDR-Punks kurz.

2
«Das ist die Schuld der Väter»

Punks und Provos

Zum Symbol der Andersartigkeit ist seit vielen Jahren der Ost-Berliner Stadtbezirk Prenzlauer Berg geworden. Er steht bei der DDR-Normalbevölkerung in einem ähnlich üblen Ruf wie Kreuzberg bei West-Spießern. In DDR-Schlagern wird auf das «heiße Großstadtpflaster» angespielt, und parteiintern schreibt man der Hauptstadt eine Sonderrolle zu: «So eine Großstadt, die auch noch direkt vom kapitalistischen Vorposten West-Berlin infiziert wird, schafft besondere soziale und politische Probleme.» Zwar verbreitete sich der Alternativ-Virus in den siebziger Jahren überall im Lande, aber im Ostberliner «P.B.» brach die Infektion offen aus – so offen es unter den gegebenen Umständen möglich war. Wer hierher zog, nahm den traditionellen Charakter des alten Arbeiterviertels für sich in Anspruch – gegen die auf Konsum und Beton versessene Arbeiterklasse der sozialistischen Gegenwart.

Wer Schwierigkeiten hatte, in den Altbaublocks zwischen Schönhauser und Prenzlauer Allee eine Bleibe zu finden, kam bald auf die Idee, sich einfach eine leerstehende Wohnung zu nehmen. «Besetzen» nannte man das in der DDR schon in den frühen siebziger Jahren.

Mit den West-Berliner Hausbesetzungen hatte das wenig gemein. Die Ost-Berliner Behörden kochten die Sache ebensowenig hoch wie die «Besetzer» vom Prenzlauer Berg. Der Parteichef der Stadt, Konrad Naumann, hatte erklärt, wer nachweisen könnte, daß Wohnungen länger als ein Vierteljahr leerstünden und gleichzeitig dringenden Wohnraumbedarf geltend machen könnte, erhielte die von ihm

13

entdeckte Wohnung. Es war in der DDR die Zeit giganti-
scher Neubauprogramme, während man die Altbauten in
den Städten weitgehend verrotten ließ. Diese Altbauten waren ohnehin Staatseigentum, und so erschien es den Behörden nicht als die schlechteste Lösung, die beiden Probleme,
Wohnungsknappheit und leere Wohnungen, auf diese Weise anzugehen.

So ein Ost-Berliner Wohnungsbesetzer zog denn auch
nicht mit Fahnen und Transparenten ein, sondern ging erstmal zum Hauswart, der ihm unter Umständen den Schlüssel
gab. Um dem bürokratischen Ablauf Genüge zu tun, wurde
dann, Monate später, gegen den wilden Wohnraumnutzer
eine Ordnungsstrafe über 300 Mark verhängt. Mit der Be-
zahlung war meistens das Mietverhältnis legalisiert.

Es sprach sich herum, wo die laschesten Polizeireviere
und die freundlichsten Hauswarte saßen, und so bildeten
sich in manchen Straßen regelrechte kleine Besetzerkolo-
nien. Der miese Zustand derartiger Wohnungen – viele hatten jahrelang leergestanden – erforderte viel Eigenarbeit,
was wiederum einen speziellen Wohnstil entstehen ließ:
Hauptsache anders als die kleinbürgerlichen Elternwohnun-
gen mit ihren Blümchentapeten und Couchgarnituren. Eine
Mischung aus schweren Omamöbeln, Selbstgebasteltem
und Selbstgestrichenem, aus Sperrmüll und Sperrholz hielt
Einzug in dem verwaisten Berliner Arbeiterviertel.

Der Prenzlauer Berg wurde zur Exklave jugendlicher
Konsumkritik in einem Land, das sich 1971 als Hauptaufga-
be die Schaffung von immer mehr Wohlstand und Wohnungen gesetzt hatte. Im Sommer traf man sich am alten Was-
serturm, um Gedichte zu lesen, Musik zu hören oder zu
machen, Bekannte wiederzusehen oder Bekanntschaften
herzustellen. Im FDJ-Jugendklub in der Krausnickstraße
konnten bis 1980 auch gelegentlich Kritiker ihre Lieder vor-
singen, Rockmusiker aus dem Westen schauten ab und an
mal rein. Bis es den Verantwortlichen zu bunt wurde und
der Krausnick-Klub für ein Jahr dichtgemacht werden
mußte.

Beliebte Treffpunkte Jugendlicher waren auch einige der alten Stadtteilkneipen – für die Eröffnung neuer Jugendcafés hätte man niemals ein Lizenz bekommen. Auf die geschlossene Front des Staates reagierten die Jugendlichen in den siebziger Jahren meist so, wie sie es ihren Eltern abgeguckt hatten – sie suchten sich ihre Nischen. Die größte und gemütlichste war immer noch die zwischen den eigenen vier Wänden. Wie sehr sich diese Flucht ins Private während der letzten vier Jahren zu einem «Raus aus den Nischen» gewandelt hat, wird bei einem Rückblick auf das Endsiebziger-Milieu im Prenzlauer Berg deutlich:

Zum Beispiel Andreas und Sabine, Lychener Straße, Hinterhaus, 1979. Kommode, Kleiderschrank, Tisch und Stühle stammen mindestens aus den zwanziger Jahren, «das hat sich so allmählich angesammelt». Die Möbelstücke kamen von der Oma, die aus dem Vorderhaus ins Altenheim gezogen ist, kamen aus Abrißhäusern und von Bekannten. Die Wände sind übersät mit kleinen und kleinsten Zetteln, Bildern, Zeitungsausrissen, Zeichnungen.

Im Bücherregal steht alles, was aus dem volkseigenen Buchhandel interessant erschien, zwischendrin ein paar Suhrkamp- und Rowohlttitel. Sartre, Kafka, Lyrik, Psychologie. Bei den Platten ist die Mischung entsprechend, die Tonkassetten enthalten meist Mitschnitte westlicher Popmusik. Die Küche ist winzig, das Klo auf halber Treppe, statt Zentralheizung gibt es einen alten Kachelofen. Dazu passen die Kerzen, die bei jeder Gelegenheit angezündet werden. Tee wird aufgegossen oder auch mal teurer Kaffee «türkisch» aufgebrüht. Alles wirkt etwas düster, nicht nur wegen der Oma-Möbel.

Die Gespräche mit dem Westler drehen sich zum geringeren Teil um Persönliches. Es geht eher um die jüngsten Klamotten der Ost-Berliner Kommunalpolitiker, die Bemühungen des ABV (Abschnittsbevollmächtigten der Volkspolizei), die Hausbewohner zu kontrollieren, um Haustratsch. Andreas will wissen, wie das bei westlichen Demonstrationen ist. Er kann sich das nicht vorstellen, er kennt so etwas nur als Pflichtprogramm aus der Schul- und FDJ-Zeit. Vor allem aber geht es in Gesprächen ums Leben im großen und ganzen. Philosophie und Musik sind die liebsten Themen. Wenn die beiden ihr Domizil verlassen, tragen sie meist die Ausgehuniform dieser Zeit und dieser Szene: Jeans und Parka. Für den Winter hat Andreas eine schwere alte Lederjacke.

Popmusik, Jazz, die eine oder andere Eckkneipe und vor allem die eigene Wohnung – das sind die Eckpfeiler der Welt, in der Andreas und Sabine leben. Der Beruf spielt in ihrem Leben, in diesen Gesprächen keine große Rolle. Sabine mußte ihr Studium an einer Kunsthochschule abbrechen – wegen «meiner formalistischen Allüren». Andreas kam in der Schule nicht in die Gymnasialstufe, würde gern Fotograf werden und jobbt zur Zeit als Krankenpfleger.

Wichtiger als all das sind die Freunde. Beide verwenden viel Zeit darauf, sie zu besuchen – in Wohnungen, die genauso aussehen wie ihre eigene und mit individuellen Winzigkeiten vollgestopft sind. Öffentlich trifft man sich kaum. Die stereotype Frage des dreißigjährigen West-Berliners zu später Stunde «Gehn wir noch weg?» löst bei seinen gleichaltrigen Ost-Berliner Gastgebern Erstaunen aus: «Was meinst Du? Wohin denn?»

Ja, wohin? Vielleicht mal in die Mensa der Humboldt-Universität, da spielt gelegentlich eine Rock- oder Bluesgruppe. Aber eigentlich kommen da nur Studenten rein. Oder zum «Haus der jungen Talente» in der Klosterstraße, dem zentralen Jugendklub der Ost-Berliner FDJ. «Die Hansi-Biebl-Bluesband soll da heute abend spielen.» Biebl ist ein Veteran der Ost-Berliner Blues-Szene. «Der ist gut, da laßt uns mal hingehen», meint Andreas.

Das Konzert findet draußen statt, weil so schönes Sommerwetter ist. Die Atmosphäre erinnert stark an ein Kurkonzert in Bad Pyrmont: Die Zuschauerbänke stehen in Reih und Glied, genau wie die Bäumchen im Innenhof des «Talente-Hauses». Die Jugendlichen stören den Kurort-Charakter höchstens mal durch lange Haare und lässige

16

Kleidung, keineswegs jedoch durch ihr Verhalten. Reglos und stumm sitzen sie auf ihren Bänken. Erst auf mehrfache Aufforderung der Musiker hin wagen einige ein Tänzchen. Als Biebl sie endlich soweit hat, ist die vorgesehene Zeit auch schon fast abgelaufen. «Schönen Dank, schönen Dank! Und bis zum nächsten Mal, tschüß!» Jetzt heißt es, sich beeilen, um nebenan, in der «Letzten Instanz», noch einen Platz und ein Bier zu kriegen.

Andreas mault über den Auftritt, vor allem über das Publikum. Er stammt aus Sachsen und fängt an, von «fetzigen Konzerten früher» im geliebten Jugendzentrum Goschwitz bei Leipzig zu schwärmen. Früher – das sind die frühen siebziger Jahre, als ein DDR-Jugendlicher noch etwas riskierte, wenn er lange Haare und Levis trug. «Das kannst du nicht mit sowas wie heute vergleichen», meint einer aus der Runde, «damals hat bei Rock-Konzerten jeder eine Flasche mitgebracht, die wurde rumgereicht, und du hattest immer, was du brauchtest. Und bei der Musik sind alle mitgegangen.»

Sabine geht gelegentlich in Discos, das sind Veranstaltungen in den Klubs der staatlichen Jugendorganisation. Was sie darüber erzählt, paßt zur trüben Stimmung an diesem Abend. In der einen Disco ist sie rausgeflogen, weil sie im Stehen getrunken und geraucht hat – Trinken und Rauchen war nur an den Tischen erlaubt. In einer anderen, in dem FDJ-Klub einer Kleinstadt bei Ost-Berlin, wurden sie und ihre Freundin Zeugen einer Sternstunde staatsjugendlicher Unterhaltungskunst: «Plötzlich setzt die Musik aus», berichtet Sabine, «und ein Typ tritt auf – mit einer Hundedressurnummer!» Da sind die beiden Freundinnen dann gegangen.

Prenzlauer-Berg-Stimmung 1979 – der Schwung der frühen Siebziger ist verpufft und etwas Neues noch nicht in Sicht. Es ist eine Notgemeinschaft von Einzelgängern, die sich ähneln. Wer diese Lebensweise nicht aufgeben will, kann nur durchhalten, indem er sich in die Musik, ins Lesen, in sein Hobby, ins Privatleben zurückzieht.

Es ist die Zeit, in der das Unterhaltungsangebot der FDJ ausgebaut wird: Fünf- bis sechstausend Discos sind überall in der Republik entstanden, verkünden Funktionäre des Jugendverbandes in den DDR-Medien. Das freut die Jugendlichen, die nach Feierabend abschalten, Partner kennenlernen und einen trinken wollen. Da nimmt man auch das endlose Warten in Kauf, etwa vor dem Jugendklub «Ernst Franz» in der Schönhauser/Ecke Sredzkistraße, wo sich am Spätnachmittag vor einem griesgrämigen Einlaßwart regelmäßig lange Schlangen bilden. Für Andreas und Sabine ist das langweilige, manchmal auch peinliche Hausmannskost. Versucht der eine oder andere Jugendklub, sich nach Leüten wie ihnen auszurichten, riskiert er Einmischung von oben oder gar die Schließung – so wie der Klub in der Krausnickstraße. Die Ausrichtung der offiziellen Jugendpolitik am braven und faden Mittelmaß aber treibt sie in die Nischen zurück. Viele kompensieren das intellektuell. Nirgendwo in Deutschland gibt es so viele lesende und belesene junge Arbeiter wie in der DDR. Sie suchen und finden ihre Abenteuer bei Friedrich Nietzsche und Heinrich Böll, bei Erich Fromm und Hermann Hesse.

Steve, damals 18 Jahre alt, erinnert sich an den Tag, an dem er «den ‹Demian› in die Hand bekam» – sein Lehrer hatte ihm Hesse empfohlen: «Ich las ihn und taumelte. Erstmals hatte ich erfahren, was Literatur bewirken kann.»

Der Erfahrungshunger der jungen Generation der siebziger Jahre stieß an enge äußere Grenzen: ein kleines Land, keine öffentliche Kommunikation, ein äußerst beschränkter internationaler Ideenaustausch. So blieb meist nichts anderes übrig, als innerlich zu werden. Das barg Risiken. Nach innen verbannte Kreativität kann selbstzerstörerisch werden, etwa wenn die Tristesse der Außenwelt nach ausgiebiger Kafka-Lektüre durch eine triste Innenwelt ergänzt wird.

Eine Eckkneipe im Ost-Berliner Stadtteil Pankow im Winter 1979. Vom biertrinkenden, durcheinanderquasselnden Stammpublikum hebt sich ein Tisch ab. Dort sitzen vier Jugendliche. Einer von ihnen bemüht sich um das Mädchen, das seit einer halben Stunde völlig in sich versunken dasitzt.

Vor ihr liegt ein Buch, dem man ansieht, daß es vor ihr Dutzende gelesen haben. Irgendwann sieht das Mädchen hoch und schiebt den anderen das Buch – es ist Nietzsches «Zarathustra» – hin. Sie tut es mit einer Geste, die erklären soll, warum ihr so elend zumute ist. Die anderen lesen bald alle im «Zarathustra» und wirken alle zusammen wie Fremdkörper inmitten der lärmenden Proletenkneipe.

Texte wie diese werden ungeheuer existentiell genommen. Da ein Rückzug in die öde Normalität nicht weiterhilft, bleiben noch Tramptouren ins (damals) liberale Polen oder ins sonnige Bulgarien während der Sommerferien – oder der Ausreiseantrag.

Vier Jahre danach, im Sommer 1983. In der Pappelallee, gegenüber der «Produktionsgenossenschaft des Baugewerbes Prenzlauer Berg» steht auf einer Mauer in großen gelben Buchstaben: «Stellt Euch vor, es ist Krieg, und keiner geht hin». An den Hintereingang zum S-Bahnhof Schönhauser Allee hat einer die West-Berliner Hausbesetzerdevise gemalt: «Legal, illegal, scheißegal!» An der Gethsemane-Kirche stand eine Zeitlang «Jesus lebt – Jesus ist grün». Die Friedensrune der Pazifisten findet sich fast an jeder Straßenecke, etwas seltener das einzelne eingekreiste Anarcho-A. Und wenn die sowjetischen Offiziere in Karlshorst ihr Domizil verlassen, erblicken sie genau gegenüber die Schrift auf der Wand: «Frieden», nicht gelb auf rotem Fahnenstoff, sondern krakelig in weißer Farbe.

Ab und an gehen die staatlichen Türcher gegen die Sprayerprodukte zu Werke, vor allem, wenn es zu politisch wird. Der Namenszug von Solidarność verschwand am Helmholtzplatz schon nach einem Tag unter weißem Anstrich, und die Kachelwände vom U-Bahnhof Rosa-Luxemburg-Platz sind von den Reinigungschemikalien schon ganz fleckig geworden. Dort standen mal kurzfristig Friedensrunen, Öko- und Peace-Parolen. Die rege Graffititätigkeit in den Straßenzügen links und rechts der Schönhauser Allee hat sich erst in den letzten zwei Jahren entfaltet. Vorher hatten die Ost-Berliner Fußballfans («BFC Union») und

Hardrock-Freunde («AC/DC») die Hauswände und Mauern ganz für sich allein.

Diese kleinen, aber oft weithin sichtbaren Veränderungen stehen nicht allein. Punkbewegung, kirchliche Jugendarbeit und der Zugang der neuen Generation zur Kunst sind – bei aller Verschiedenheit ihrer Absichten und Formen – die hauptsächlichen Wege, auf denen heute eine jugendliche Minderheit in der DDR versucht, Ohnmacht, Anonymität und Nischendasein hinter sich zu lassen.

Im Frühjahr 1981 lud die Ost-Berliner Evangelische Studentengemeinde zu ihrer Frühjahrsfete. Im Hof des alten Kirchengebäudes in der Invalidenstraße ging es zunächst recht bunt-alternativ zu: Kasperletheater für die Kleinen, die sich auch mit Farbe bemalen durften, ein Flohmarkt, eine Ausstellung von umweltkritischen Zeichnungen und Fotomontagen, Rockmusik.

Am späten Nachmittag änderte sich das Bild. In kleinen Gruppen oder allein schlichen leibhaftige DDR-Punks auf das Kirchengrundstück. Wenn ein Wartburg der Volkspolizei draußen langsam vorbeipatrouillierte, verschwanden die Schopflosen hinter einer Litfaßsäule oder im Gebüsch eines nahegelegenen Parkplatzes. Sie hatten sich verabredet, weil bei der Fete eine Punk-Band auftreten sollte. Von den Veranstaltern hatte keiner so recht durchgeblickt, sonst wäre die Gruppe wohl nicht eingeladen worden.

Die Latzhosen staunten nicht schlecht, als bei den ersten Klängen der Musik der wilde Rempeltanz der etwa zwei Dutzend Punks einsetzte, die bis dahin apathisch herumgesessen hatten. Die Frage, ob sie in ihrer schwarzen Montur und mit ihren bunten Haarsträhnen auch in die Schulen und Lehrwerkstätten gingen, verneinten damals noch viele. Nur die Mutigsten erzählten stolz, «so in der S-Bahn gefahren» zu sein.

Ein Jahr später, an der U-Bahn-Haltestelle Dimitroffstraße. Der Halteplatz ist von einer Menge Punks bevölkert, die sich durchaus nicht hinter irgendwas verstecken, sondern ihren Auftritt sichtlich genießen. Wo es denn hinginge mit der

U-Bahn? «Na, heute ist doch Blumenfest am Weißensee!» Dort angekommen, schlendert die grelle Meute durch die Bürgermenge, kaut Bratwürste und läßt sich zum Biertrinken auf dem Rasen nieder.

Es ist schon eine Konfrontation besonderer Art: Im Auto-Scooter fahren die Wagen immer hübsch hintereinander her, keiner rammt den anderen, keiner spielt verrückt; Sonntagsspaziergänger schlendern an den Buden vorbei, einige stellen sich an zum Ringewerfen nach Sprudelflaschen, nach Cottbuser Keks und Fetzer, der Antwort der DDR-Schokoladenindustrie auf Milky-way. Mittendrin rot oder grün gefärbte Hahnenkämme und sechzehnjährige toupierte, schwarzhaarige Ketten-Ladys, um die sich kaum jemand sonderlich schert. Ein Jahr zuvor, nach jener denkwürdigen Fete bei der Evangelischen Studentengemeinde, waren ein paar Punks in eine nahegelegene Kneipe gegangen. Die Gäste ließen das Essen stehen und gafften sie fassungslos an. Bis der Wirt herbeistürzte und die Punks an die Luft setzte.

Sommer 1983 in einem Hinterhof in der Schliemannstraße, Bezirk Prenzlauer Berg. Es herrscht ein reges Kommen und Gehen an diesem Samstagabend. In ein paar Stunden soll die Gruppe «Vorbildliche Planerfüllung» aus Gera hier aufspielen. Bis dahin musiziert eine unbekannte Fünf-Mann-Band. Als Bühne dient ihr ein Sperrmüll- und Trümmerberg im dritten Hinterhof. Von dem Text, den der Sänger mit der Schweißerbrille herausschreit, sind nur Fetzen deutlich vernehmbar: «Schnee fällt aus Kanistern über dieses öde Land.» Die anderen vier Musikanten fallen immer wieder in den Refrain ein: «Das ist die Schuld der Väter! Das ist die Schuld der Väter!» Es müssen an die hundert Wiederholungen erklungen sein, ehe einer der Gäste über ein Verstärkerkabel stolpert und der Strom wegbleibt.

In der DDR-Provinz oder auch in den Amtsstuben derer, die von Berufs wegen mit der Ordnungshüterei betraut sind, sieht das alles noch anders aus. In einer thüringischen Kleinstadt – Kräfteverhältnis: 30 000 Einwohner zu fünf Punks – hat ein Mitglied der kirchlichen «Jungen Gemeinde» eine Idee: Die ganze Gruppe, die sich einmal die Woche im Gemeindehaus trifft, soll doch mal rauskommen in die elterliche Ausflugsgaststätte. Das finden alle gut und nehmen die Einladung an. An einem lauen Sommerabend steht die junge Christenschar dann dem Vater und selbständigen Gastwirt auf dem Dorfe vis-à-vis. Dessen Miene verfinstert sich jäh, als er die zwei Irokesenköpfe erblickt. «Nix da», schnauft der Wirt, schert sich weder um die Höflichkeit gegenüber dem kirchlichen Gruppenleiter noch um seinen Geschäftssinn und schmeißt die beiden Punks einfach raus. «Wir anderen sind dann geblieben», erzählt einer, «waren aber alle ziemlich bedrückt.»

Auch die Volkspolizei hat es auf die Punks abgesehen, mehr noch als auf Friedens- und Umweltprotestierer. Besonders die «Trapo», die DDR-Transportpolizei, scheint sich da hervorzutun. In Halle, Potsdam und Leipzig wurden Punks daran gehindert, die Bahnhofsgebäude zu betreten.

Polizeiwache in Magdeburg. «Was unterstehen Sie sich, solche Abzeichen zu tragen?» Der Vernommene hat sich ein rotes Blechbanner mit goldenem Leninkopf an die abgewetzte Lederjoppe geheftet. «Das hab’ ich mal bei der FDJ gekriegt.» «So verkommen, wie Sie herumlaufen, ist das eine Provokation, eine Verunglimpfung des Staates und des Jugendverbandes.» Und wenn – einfach so in freier Wildbahn oder abends in der Kneipe – ein fassungsloser Bürger mal handgreiflich wird angesichts solcher jugendlichen Verkommenheit, dann wird der geschundene Punk sich dreimal überlegen, ob er die Polizei zu Hilfe ruft. Vielleicht ist der Beamte, an den er sich wendet, derselbe, der ihn gestern wegen «asozialen Verhaltens» vom Marktplatz oder aus einer Kneipe vertrieben hat.

Aber Magdeburg ist nicht Kreuzberg. Das Verhältnis zwischen Volkspolizei und jugendlichen Abweichlern ist nicht als bürgerkriegsähnlich zu beschreiben, eher schon als autoritär und patriarchalisch. «Gespräche» mit häufig uniformierten Respektspersonen sind den DDR-Jugendlichen längst vertraut. Wer einen Platz an der Erweiterten Oberschule, dem Gymnasium der DDR, haben will und sich nicht gleich freiwillig auf drei Jahre zur Armee verpflichtet, muß mit «Gesprächen» rechnen. Gespräche mit Jugendoffizieren, Gespräche mit seinen Lehrern, Gespräche mit der FDJ-Leitung der Schule, Gespräche mit dem Direktor oder Gespräche mit allen zusammen. Wenn es sein muß, werden es eben fünf Gespräche, oder zehn oder zwölf. Am ehesten sind diese Termine mit Befragungen vergleichbar, denen sich bei uns in der Bundesrepublik die Wehrdienstverweigerer unterziehen müssen. Beide Seiten wissen, daß es um ein Katz- und Maus-Spiel mit vorgestanzten Argumenten geht.

DDR-Jugendliche sehen Polizeivernehmungen nicht als etwas grundlegend anderes an als Gespräche mit anderen Autoritäten. Und neben den kalten Zynikern gibt es eben auch jene Volkspolizisten, die einen eher patriarchalischen Umgangsstil mit ihren jugendlichen Klienten pflegen.

«Die stehen total fassungslos davor», meint ein Ost-Berliner Punk über die Vopo. Und ein Vernehmer äußert seine Abscheu über einen Ost-Berliner Punk gegenüber dessen Mutter so: «Das ist das Asozialste, was wir jemals gesehen haben!» Asozial – das ist der gemeinsame Nenner, den der Polizeijargon in der DDR für das Andersartige gefunden hat. Wer als asozial eingestuft wird, kann auf dem Polizeirevier, vor Gericht oder im Jugendwerkhof landen – einer Erziehungsanstalt, in die «besserungsbedürftige» Jugendliche eingewiesen werden können. Asozial ist ganz wörtlich zu verstehen: Es geht nicht nur um konkrete Delikte wie Diebstahl oder Körperverletzung, sondern um die Absonderung von der Gesellschaft. Wenn sich ein Jugendlicher derart gebärdet, daß die Hüter des kleinbürgerlichen sozialen Rahmens den Eindruck gewinnen, er falle aus diesem heraus, muß etwas gegen ihn unternommen werden.

Daß sich zumindest die großstädtische Bevölkerung an die Existenz von andersartigen Minderheiten gewöhnt hat, ist eine echte Veränderung – und sie ist vielleicht bedeutsamer als viele Veränderungen in der DDR-Polit-Hierarchie.

Zusätzlich unterhöhlt wird die jahrzehntelang ungestörte Regentschaft der kleinbürgerlichen Lebensart vom industriellen Fortschritt in der DDR; denn auch im Sozialismus werden irgendwann die Arbeitsplätze knapp.

Polizeiwache in Ost-Berlin. Im Vernehmungszimmer sitzen sich unter dem gerahmten Porträt von Erich Honecker ein Punk und ein Polizist gegenüber. Der im Dienst ergraute Beamte betrachtet nachdenklich Igelputz und schwarze Trauergarderobe seines Gastes. Über dessen persönliche Verhältnisse hat er ihn befragt. «Soso, eine Fotografenausbildung machen Sie also . . .» Der Uniformierte verfällt in eine väterliche Tonlage: «Menschenskind, seien Sie doch froh, daß Sie überhaupt noch eine Ausbildung bekommen. Die nächste Generation hat es da viel schwerer als ihr, das können Sie mir glauben.»

Der Punk glaubt ihm das aufs Wort. In Ost-Berlin gibt es längst wieder Arbeitsämter bei den Stadtbezirksverwaltungen, und die haben neuerdings sogar an zwei Wochentagen auf, statt nur an einem wie noch 1982. Acht Mark pro Tag gibt es für die «Arbeitssuchenden» – so der offizielle Begriff. In Neubrandenburg bekommen Arbeitslose Warengutscheine statt Bargeld – Wert: 10 DDR-Mark. Nach wie vor ist das sozialistische Arbeitsrecht eine massive Barriere gegen Entlassungen. Aber wo früher immer nur verwarnt oder disziplinarisch bestraft wurde – bei unentschuldigtem Fehlen am Arbeitsplatz etwa –, da wird heute auch schon mal entlassen.

Wer selbst kündigt, in der früher begründeten Hoffnung, jederzeit einen neuen, ja besseren Job zu bekommen, der kann heute sein blaues Wunder erleben. Die Schilder mit der Aufschrift «Wir stellen ein: . . .», die früher an fast jedem DDR-Betrieb aushingen, sind selten geworden. Kein Wunder, wenn etwa im Stahlwerk Henningsdorf Schmelzöfen stillstehen, weil der Rohstoff fehlt. Oder wenn im Ost-

Berliner Kabelwerk Oberspree das Kupfer ausgegangen ist und zahlreiche Werktätige seit Monaten die Hallen fegen.

Ein Ost-Berliner Elektriker, der seit einem halben Jahr auf Stellensuche ist: «Bei uns im Fernsehen bringen sie manchmal so Reportagen aus dem Westen: Arbeitsamt morgens um achte, schlotter, frier, Thermoskanne. Und zum Reporter sagen sie dann: Ja, ich komme jetzt schon seit einem Jahr hierher. Daran mußte ich denken, wie ich neulich morgens um achte beim Arbeitsamt von meinem Stadtbezirk in der Reihe stand.»

Eine im Alltag spürbare Folge des gewachsenen Drucks auf die Arbeitsplätze ist die neuerdings feststellbare Zurückhaltung der Polizei gegenüber «Arbeitssuchenden». In der DDR besteht Arbeitspflicht, und wer sich der zu entziehen versuchte, hatte früher sehr schnell Ärger. Das ist nun anders geworden. Man muß sich wohl oder übel «darauf einstellen, so eine Art Arbeitssuchendenheer zu haben», so der Sekretär der Parteigruppe einer Ost-Berliner Fachzeitschrift bei einer Parteiversammlung. In der theoretischen Parteipresse wird das alles als Problem der Umsetzung von Arbeitskräften im Zuge der sozialistischen Rationalisierung behandelt. Das ist es aus der Optik von Wirtschaftsleitern auch nach wie vor. Sie müssen ja die eigentlich arbeitslosen Werktätigen von Abteilung zu Abteilung oder von Betrieb zu Betrieb verschieben, ohne sie massenhaft entlassen zu dürfen.

Unter dem Druck auf die Arbeitsplätze summieren sich die Einzelfälle zu einer sozialen Größe. In Schwerin sollen zweitausend arbeitslos sein, in Ost-Berlin dreißigtausend. Das mag übertrieben sein – Tatsache ist aber, daß es heute in den größeren Städten der DDR unfreiwillige Arbeitslose gibt. Der Druck auf die Arbeitsplätze – unvermeidlich in einer wachstumsorientierten Industriegesellschaft – schlägt auf die Ausbildungssituation der Jugendlichen durch.

Einer erzählt: «Ich habe ein sehr gutes Abitur und wollte Medizin studieren. Nachdem ich mich auch noch auf drei Jahre für die Nationale Volksarmee verpflichtet hatte, dachte ich, jetzt ist alles klar. Wäre es ja früher auch gewesen. Jetzt bekomme ich zu hören, ich sei ja gesellschaftlich nicht besonders aktiv. Mit anderen Worten: Ohne Parteimitgliedschaft läuft das nicht mehr.»

Als Ausweichstudiengänge wurden dem verhinderten Medizinstudenten Marxismus-Leninismus, Betriebswirtschaft oder eine Ingenieursausbildung angeboten. Wer früher unbedingt studieren wollte, konnte immer noch zu den Pädagogen gehen, wenn sonst gar nichts mehr lief. Auch das ist nun vorbei. Und wo die Plätze knapp werden, wird wieder ausgewählt. Die kleinen gemütlichen Kunstakademien etwa, an denen es sich locker arbeiten ließ, verlangen inzwischen ihr politisches Pfand wie die großen Unis. An der Kunsthochschule in Weißensee wird für die Unteroffizierslaufbahn geworben, und Leipziger Kunststudenten klagten schon früher, daß man versuche, die lasche Künstler-FDJ bei ihnen auf Vordermann zu bringen.

Politische Wirkungen zeitigt das alles weniger bei den Studenten als bei denen, die noch jünger sind und ans Studieren denken. Sie sind es, die ihre Chancen auf eine Bildungskarriere schwinden sehen – und auch das Verlangen danach. «Die sind nicht mehr so wie noch vor ein paar Jahren», beobachtete eine Frau aus der Ost-Berliner kirchlichen Jugendarbeit, «Abitur und so steht nicht mehr an erster Stelle. Sie haben wohl das Gefühl, daß es das alles nicht wert ist, daß lebenslängliche Anpassung sich gar nicht lohnt.»

Eine alte Logik kippt. Je höher die Wurst gehängt wurde, desto eifriger schnappten die Jugendlichen früher danach. Heute winken viele nur noch ab. Man hat schließlich auch die Beispiele derer vor Augen, die in der Mühle drinstekken. Der Bruder, der nun Lehrer ist und sich immer verziehen muß, wenn ein Freund aus dem Westen zu Besuch kommt. Das Mädchen aus der kirchlichen Friedensgruppe, das sich unter Tränen vom Pastor verabschiedet. Sie habe jetzt einen Studienplatz, und den wolle sie so gern. In der

Gruppe würde sie auch gern weiterarbeiten, aber eins von beiden ginge eben nur. Schließlich die Eltern. Unter Punks und Pazifisten in der DDR sind jene, über die Marx im Kommunistischen Manifest schrieb, daß sie in Zeiten gesellschaftlicher Veränderungen die herrschenden Klassen verraten, um sich auf die Seite des Fortschritts zu schlagen, reichlich vertreten: Söhne und Töchter hoher Funktionäre.

«Es sind Mumien», sagt ein Diplomatensohn aus Potsdam, der zur Zeit als Fensterputzer arbeitet, über seine Eltern. Und ein neunzehnjähriger Punk sieht seine Eltern, die ebenfalls im diplomatischen Dienst sind, so: «Das Spießbürgerliche hat mich angekotzt. Ich bin gegen das Deutschsein. Der Deutsche ist für mich ein Kleinbürger und ein Spießer von Natur aus. Mich stört dieses ganze Getue, diese Maske, die da ist, die keiner abnimmt.»

Die zweiundzwanzigjährige Tochter eines sehr hochgestellten Funktionärs will nur noch raus. Sie malt. Ihre Aussichten, daraus einen Beruf machen zu können, sind gleich Null. Zur Zeit jobbt sie drei Tage in der Woche bei einem alten Zahnarzt in einem Vorort von Ost-Berlin. Ihren ebenso hochrangigen wie gestreßten Vater haßt sie nicht, er tut ihr eher leid: «Leute wie er, die tatsächlich praktische Verantwortung haben, also nicht bloß Ideologie ablassen, sind die ärmsten Schweine. Sie kennen die Probleme und können doch nichts ändern. Wenn du ganz unten bist, tauchst du ab, und wenn du Nummer eins oder zwei bist, schwebst du drüber.»

In ihrer Familie gibt es mehrere Wirtschaftsfunktionäre, «die tun mir echt leid», sagt sie ohne erkennbare Anteilnahme. Die Kaste, in der ihre Eltern leben, ist nicht ihre Welt. Seit Jahren schon ist sie ins Milieu der privaten Kunstausstellungen und Zirkel übergewechselt. Heftig wird sie erst, als sie auf die Jahre davor in der Familie zu sprechen kommt: «Glaubst du vielleicht, ich weiß mehr als du, was die untereinander reden, was bei denen abläuft? Ich sah meinem Vater immer bloß an, wie entnervt er war, wenn er irgendwann fünf Stunden nach Dienstschluß in seinem Dienstvolvo nach

Hause gefahren wurde. Erzählt wurde nie was, Kommunikation kaputt – auch andersherum. Der hat überhaupt nicht kapiert, was ich wollte. Ich war heilfroh, als ich bei einer Freundin einziehen konnte.» Politische Ambitionen wie manche ihrer Freunde im Künstlerverband hat sie nicht. Ihre Ziele heißen Paris und Rom – sie wartet darauf, daß ihr Ausreiseantrag genehmigt wird.

Der Hang zu Kunst, Philosophie, ja Theologie und Religion ist bei den verlorenen Söhnen und Töchtern der Machtelite häufig ausgeprägt. Sie schlagen sich durch mit Jobs bei kleinen Privatbetrieben, bei der Kirche, als Friedhofsgärtner, Müllfahrer oder Putzfrau. Unter den Punks vom Prenzlauer Berg finden sich zahlreiche Aussteiger aus der sozialistischen Elite. Arbeitslosigkeit ist in der DDR längst noch keine Massenerscheinung, und die Müllmode ist darum auch nicht – wie in England – eine Drohgebärde aus den Gettos. In der DDR ist Punk gewissermaßen atmosphärisch bedingt, Provokationslust liegt in der Luft. Und es kennzeichnet die in der DDR herrschende Kultur, wenn die, die sie herausfordern, in demonstrativ lumpiger Proletenmontur daherkommen, die sie zudem vom westlichen Jugendprotest abgeguckt haben. Die Lebensart einer «herrschenden Arbeiterklasse», die von ein paar hundert Jugendlichen in Müllgarderobe auf die Palme zu bringen ist, kann nur zutiefst biedermännisch sein.

In ihren Texten und mit ihrer Musik dreschen DDR-Punks auf «die Schuld der Väter», auf «das Deutschsein», «die Arbeit», «die Öde» ein. Ihr Unbehagen mutet mitunter reichlich gymnasial an, unter dem schwarzen Leder und den metallenen Nieten pulsiert mehr Empfindsamkeit als Rohheit. Gewalt spielt bei DDR-Punks kaum eine Rolle, eher schon die Lust auf Abenteuer, der Spaß an der Provokation, die Gier nach Intensität. Und eben der als abstoßend empfundene familiäre und öffentliche Krampf, jene «Maske, die keiner abnimmt», jene Welt der «Mumien», der entnervten Väter mit den zusammengebissenen Zähnen und den in Disziplin oder Alkohol erstickten Gefühlen.

Einen kleinen Sieg haben sie errungen, trotz Polizeiverhören und Bürgerzorn: Sie gehören heute zum Straßenbild zumindest in den größeren Städten. Und wenn es auch nur Wasserfarbe ist, die ihnen zum Haarefärben zur Verfügung steht – der Spaß ist garantiert. Bands wie «Keks» aus Ost-Berlin und die Magdeburger Gruppe «Juckreiz» liefern ihnen wenigstens bei Live-Auftritten ihre Musik. Selbst der DDR-Rundfunk beginnt sich auf die neuen Töne einzustellen. Regelmäßig stellt der Jugendfunk Amateurgruppen vor. «Ich sitze vor der Glotze / schütte Schnaps in mich rein» und «Zerrissen wie diese Zeit / geh' ich auf dem schmalen Grat» dichten thüringische Basis-Bands, die im DDR-Radio als Amateurgruppen vorgestellt wurden. Der «schmale Grat» verläuft in dem Rocksong zwischen denen, die «nie was riskieren und immer 'ne ruhige Kugel schieben» und den gescheiterten Idealisten, die «Bitterkeit so stumm macht».

«Mein Abenteuer will ich jetzt!» trällert eine sechzehnjährige, die mit ihrer Freundin durch die Dimitroffstraße bummelt. In dem Lieblingssong werden die Vorhaltungen der Elterngeneration ironisch aufgenommen: «Mit dreißig wirst du schon sehen, mit dreißig wirst du bereuen, was du im Leben nicht alles erreicht hast!» Vor den Auslagen eines Fischgeschäfts bleibt sie stehen. «Willste ma sehn, wat Punk is?» Im Schaufenster sind verblichene Zeitungsausschnitte zum Karl-Marx-Jahr zu sehen: «Unser Aufgebot . . .» Auf der DDR-Fahne lagern ein paar rostige Fischkonserven, über das Marx-Plakat krabbeln Fliegen. Im Hauseingang daneben geht es rauf zu Kalle, mit ihm sind die beiden Mädchen verabredet, später ist eine Fete in der Marienburger.

Auf das Klopfen reagiert zunächst niemand. Doch aus der Wohnung dringt Musik. «Ihr müßt schon entschuldigen», öffnet Kalle schließlich die Tür, «aber ich hab' grad Yoga gemacht.» Kalle ist vollkommen in Rot und Orange gekleidet – «aus spirituellen Gründen» erklärt er. Neben seiner Matratze liegen auf dem Fußboden verstreut einige Meditationslehrbücher. An solchen Dingen ist Kalle mehr interessiert als an Politik. Mit großer Begeisterung erzählt er von einem Meditations-«workshop», der vor kurzem in einer befreundeten Wohngemeinschaft stattgefunden hat. Ansonsten ist Kalle eher wortkarg, von der übrigen Szene grenzt er sich elitär ab.

«In der Schönhauser gibt's 'ne Familie, die macht in Krishna», da zieht es ihn hin. Sie alle lockt schon ein neues Projekt: wochenlanges gemeinsames Fasten. «Wenn man dazu Salzwasser trinkt, soll das einen ungeheuer klaren Kopf machen.» Kalle hat keine Lust auf die Fete. Statt dessen schlägt er vor, einen Künstler zu besuchen.

Zur Fete kann man ja noch später. Erstmal kommen alle mit zur Künstlerbude, ein paar Straßenecken weiter. «Versuch, einen Fernseher zu überspringen» lautet das Motto der Zusammenkunft: In einem kahlen Raum, der von roten Wollfäden kreuz und quer durchzogen ist, steht in der Ecke ein Fernseher, es läuft das erste DDR-Programm. Auf dem Kasten steht ein nacktes Mädchen. In der anderen Ecke führt ein Mann Seilspringen vor, er ist – trotz sommerlicher Temperaturen – dick vermummt in eine Art wattierten Skianzug, knallrot. Er arbeitet schwer, fast eine Stunde springt er so, ununterbrochen. Das Mädchen dreht sich gelegentlich, im Fernsehen läuft die Ziehung der Telelottozahlen. Das Publikum starrt.

In der DDR ist nach Jahren geistiger Depression ein Aufbruch in der jungen Generation zu beobachten. Auf die liberalen Jahre, in denen das hundertfach zitierte Honecker-Wort von 1971 galt, demzufolge es in der Kultur «keine Tabus» geben dürfe, sofern der sozialistische Grundkonsens nicht verlassen werde, folgte nach der Biermann-Ausbürgerung 1976 der deutsche Herbst der DDR. Diese restaurative Stimmung wird jetzt überall durchbrochen, wenn Jugendliche sich auf ihre kulturelle, politische und religiöse Kreativität besinnen und aktiv werden.

Das Prenzlauer-Berg-Viertel spielt seine Avantgarderolle auch in dieser neuen Phase. Der Stimmungswandel fängt an bei der Rettung des Stadtteils vor dem Verrotten. Überall wird gewerkelt, gemauert und geschreinert. Das Grau der seit Kriegsende unveränderten Straßenzüge wird von vielen bemalten Balkons, Fenstern, Hausfronten aufgelockert. Bunt bemalt sind aber nicht nur die Hinterhöfe in «besetzten» Häusern. Die normalen Mieter nutzen die neuerdings angebotene staatliche Hilfe zur Selbsthilfe, bauen neue Fenster und Türen ein und greifen zum Farbeimer.

Solche Mietermodernisierung wird nämlich inzwischen mit Do-it-yourself-Kursen gefördert, in denen die Mieter Tischlern, Anstreichen und Fliesenlegen lernen können. Die staatliche Linie im Wohnungsbau wurde generell geändert. Schwerpunkt ist jetzt die Erhaltung der städtischen Altbauten. Bis 1990 sollen 1,3 Millionen Häuser instandgesetzt und 340 000 modernisiert werden. Alte Pläne für den großflächigen Abriß ganzer Altbauviertel wurden fallengelassen. Der Prenzlauer Berg ist die größte Nummer im neuen Programm. Die Generalüberholung des maroden Arbeiterviertels soll 1990 abgeschlossen sein.

Zoff gibt es jetzt schon. Einmal zwischen dem Rat des Stadtbezirks und der kommunalen Wohnungsverwaltung, die fast alle Mietshäuser im Bezirk verwaltet und neuerdings selbst für baufällige Halbruinen keine Abrißgenehmigungen mehr bekommt. Aber das sind bürokratische Übertreibungen der neuen Linie. Der viel schärfere Streit bahnt sich erst langsam an, darüber, wie denn ein sanierter Prenzlauer Berg schließlich ausschauen solle. Ein Studie von Architekten und bildenden Künstlern aus dem Jahr 1981 schlägt vor, die Schönhauser Allee «als Berlin-typischen Straßenzug zu gestalten» und das «ästhetische Niveau» des Viertels anzuheben.

Kritische Architekten und Bewohner wurden durch solche Pläne alarmiert. Bewohner eines Altbaukomplexes in der Oderberger Straße erarbeiteten einen Alternativplan für die Ausgestaltung ihres großen Hinterhofes. Die Bürgerinitiative war erfolgreich – ihr Plan wurde akzeptiert und verwirklicht. Der Ost-Berliner Industriedesigner Wolfgang

Kil berichtet: «Als die Studie im Rahmen einer Veranstaltung des Verbandes Bildender Künstler, Bezirk Berlin, Kommunalvertretern und Künstlern des Stadtbezirks Prenzlauer Berg zur Diskussion gestellt wurde, setzte sich das Publikum gegen so viel ‹Boulevard-Typik› entschieden zur Wehr.»

Kils Beitrag erschien Anfang 1983 in der DDR-Designerzeitschrift *form + zweck*. Er fordert vehement die Abkehr von der bis dato in der DDR betriebenen Städteplanung: «Verzicht auf Einflußnahme» durch Planungsstrategen sei auch «eine mögliche Haltung». Kils Horrorvision: Der herbe Charme des einstigen Proleten- und heutigen Arme- und Bunte-Leute-Viertels könnte ausradiert und der Prenzlauer Berg in eine adrette Fußgängerzone für Touristen verwandelt werden. Kil plädiert für die Mitbestimmung aller Bewohner und Nutzer – auch der privaten Einzel- und der ambulanten Straßenhändler, die zu seiner großen Freude neuerdings die Schönhauser Allee beleben.

Fred Staufenbiel, Lehrstuhlinhaber in Weimar, streitet ebenfalls gegen das Wegsanieren gewachsener Lebens- und Baustrukturen: «Eine Stadt ohne erlebbare Geschichte ist wie ein Mensch ohne Gedächtnis.» Der Professor fordert vor allem mehr «Freiräume» für individuelle und gemeinschaftliche spontane Kommunikation in der Kiez-Öffentlichkeit und auf den Straßen – dies werde «für das Leben der Bewohner immer wichtiger».

Zwei mit dem Prenzlauer Berg befaßte Planer – Herbert Pohl und Wolf Dietrich Werner – sind der gleichen Ansicht. Der Mangel an Gelegenheiten für öffentliche Kommunikation verhindere «spontane Sozialisierung» etwa von Kindern und Jugendlichen. Hier dürften die hauptsächlichen Konflikte liegen. Bewohnerinteresse an einem lebendigen Stadtteil versus Staatsinteresse an einem ordentlichen und vorzeigbaren Viertel.

Die meisten DDR-Städte haben inzwischen Fußgängerzonen, und auch Historisches wird allenthalben restauriert. Aber ein Museum ist kein Lebensraum. Hein Köster, Chefredakteur der Designzeitschrift, attackiert Planungszentralismus und Expertenwissen. Den Planungsprofis sei «das Wissen vom Organismus, vom Ganzen», vom Gewachsenen und Gegenwärtigen einer Stadt «weitgehend abhanden gekommen». Allerdings sind diese engagierten und kritischen Stellungnahmen eine Rarität in der DDR-Presse.

Sie alle erschienen in Heft 1/1983 von *form + zweck*. Heft 2/1983 erschien erst mehrere Monate später, nicht wie üblich im zweimonatlichen Abstand. Die Redaktion entschuldigte sich bei ihren Lesern mit «technischen Gründen».

Das Unbehagen an der oft so lieblos ausstaffierten Umwelt im DDR-Sozialismus empfinden – dies zeigen die Beiträge in der Designerzeitschrift – nicht nur ein paar jugendliche Aussteiger. Es sind nicht nur die Punks, die mit ihrer ungewollten Unmodernität den Modernitätstraum ihrer Gesellschaft karikieren.

An der von Ost-Punks und West-Besuchern oft belächelten DDR-Warenästhetik sind jedenfalls nicht nur die billigen Werkstoffe schuld. Olaf Weber zieht in einem Beitrag über Designästhetik in *form + zweck* über «die Schneeglöckchen aus Plast» her, die «merkwürdigerweise auf den Tischen der Mitropawagen blühen» und mitunter sogar «in Vasen mit Frischhaltewasser stecken». Angesichts solcher Gartenzwergkultur verspürt der Autor ein «Unbehagen, das von den depravierten Oberflächen vieler und gerade der alltäglichsten Gegenstände unserer Umwelt ausgeht».

Diese Designer-Greuel dürfte einem Großteil der DDR-Bevölkerung fremd sein. Hunderttausende sind froh, wenn sie aus einer nassen Altbauwohnung in ein Neubausilo ziehen können und stellen sich gern die passende Schrankwand mit Kunststoffurnier und die Couchgarnitur aus Kunstleder in ihr neues Heim. Ihre Faszination für den Westen und das allabendliche Werbefernsehen zielt nicht auf einen anderen Lebensstil, sondern auf die Vervollkommnung, Verfeinerung und Veredelung ihrer Plaste-und-Elaste-Welt.

Der Beitrag des Planer-Duos Pohl und Werner markiert noch einen weiteren wunden Punkt sozialistischer Stadtentwicklung. «Die veränderte Netzstruktur der Handels- und Dienstleistungseinrichtungen» hätte zu «straßenweiter Verödung» und «meistens auch zu einer Verwahrlosung der Erdgeschoßzone» geführt, kritisieren sie. Rigorose Verstaatlichung der Reste des privaten Einzelhandels und Handwerks gehörte in den siebziger Jahren ebenso zum SED-Programm wie die Zentralisierung innerhalb des verstaatlichten Dienstleistungssektors. Auch in besseren HO-Gaststätten werden heutzutage Schnitzel serviert, die in «zentralen Vorbereitungsküchen» vorgebraten wurden.

Dem auch in der DDR aufgekommenen Trend zu Heimat und Kiez entsprechend, möchte man neuerdings den öden Zentralismus etwa durch alte Namen und Handwerkswappen an den staatlichen Läden «verschämt verleugnen», wie ein anderer Kritiker schreibt. Und er fügt hinzu: «Solange die Geschäfte Müller und Meier hießen, war es durchaus zu begreifen, daß diese ihren individuellen Erwerbsbetrieb durch waghalsige Schriftwahl an der Fassade unterschieden wissen wollten.» Welchen Sinn, so fragt der Autor weiter, solle so etwas aber haben, «wenn es sich um ein und dieselbe staatliche Handelsorganisation handelt?»

In diesem Punkt treffen sich viele Interessen. Der Wunsch von Stadtteilbewohnern, mal in ein gutes Restaurant oder in ein besonderes Geschäft zu gehen, das Streben junger Leute, was Eigenes aufzuziehen – eine Kneipe, einen Schmuckladen, eine Galerie –, das ästhetische Interesse von Planern und Designern und vielleicht auch das staatliche Interesse an einer besser funktionierenden Versorgung der Bevölkerung mit Handwerks- und Dienstleistungen. Jedenfalls werden seit Jahren Jugendliche am Prenzlauer Berg abschlägig beschieden, die in einen der vielen leerstehenden Läden einziehen wollen. Begründung der Behörden: «Die halten wir frei für neue Geschäfte.» Doch die kommen äußerst selten ins Straßenbild.

«Selten fühle ich mich wohl – hier tu ich's!» steht im Gästebuch des «Café Flair» in der Stargarder Straße. Das seit 1982 existierende Lokal, wegen seiner konsequent gestylten

34

Einrichtung und Bedienung auch als «lila Café» geläufig, offeriert zusammen mit Espresso und Capuccino etwas von dem Lebensgefühl, das die Gäste in der HO- und Mitropa-Tristesse vermissen.

Ein anderes Gastronomie-Projekt hatte hingegen weniger Fortune. «Das wird doch bloß so ein Treffpunkt arbeitsscheuer Philosophen» polterte ein Beamter beim Ost-Berliner Stadtrat für Kultur, als zwei junge Leute ihm ihre Idee vortrugen: Sie wollten die Lizenz für ein Galerie-Café, in dem neben dem Cafébetrieb kleine Ausstellungen laufen sollten. Zwar ist die Idee an sich nicht neu – im Ost-Berliner Außenbezirk Friedrichshagen existiert seit langer Zeit die «Bilder-Kneipe» – ähnliche Cafés befinden sich in Pankow und anderswo –, aber ihre Realisierung im Stadtteil Prenzlauer Berg löste behördliche Ängste aus. Eine negative Entscheidung wie diese atmet ganz den Geist der rigorosen Ausgrenzung alles Andersartigen, der Verteidigung des kleinbürgerlichen Monopols auf die einzig wahre Lebensweise unter dem Mantel der Parteiräson. Für einige SED-Genossen hingegen ist die Zeit reif für «den Abschied vom inneren kalten Krieg bei uns», sie möchten jetzt «mehr Lockerheit wagen».

Die setzt sich nur langsam durch. Jeder Schritt der Szene kann ein Schritt zu weit sein. 1983 wurden die Ost-Berliner Rockgruppe «Freigang» aufgelöst, die Laientheatergruppe «Boden Bühne Berlin» verboten und deren Mitspieler wiederholt verhört. Gründe finden sich immer: freche Liedtexte, «asoziales Verhalten», Thematisierung von Homosexualität auf der Bühne.

Dabei könnte das DDR-Establishment eigentlich unbesorgt sein. Die Theater- und Rockgruppen, die Amateurdichter und -künstler, die Punks und Pazifisten sind nicht die getrennt marschierenden Abteilungen einer staatsfeindlichen Dissidentenarmee. Ihr Protest unterscheidet sich wesentlich von den Oppositionswellen, an denen Polizei- und Stasifunktionäre sich in den fünfziger Jahren ihre Sporen verdient haben. Die meisten dieser Jugendlichen sehen sich selbst als DDR-Bürger, insofern hat die SED ein Erziehungsziel erreicht. Sie finden gar nichts dabei, in diesem Staat zu leben.

Aber sie können behäbige Westler-Arroganz ebensowenig ausstehen wie euphorische Ost-Propaganda. Drei Jahrzehnte nach der Staatsgründung fordern sie Spiel- und Freiräume für ihre Experimente. Die Schicksalsfragen ihrer Väter «Ost oder West?» – «Sozialismus oder nicht?» sind nicht mehr die ihren. Noch in den sechziger Jahren konnte die FDJ auf ihren Jugendforen Spannung und Interesse erzeugen. Heute klagen DDR-Lehrer und Schulpsychologen über Desinteresse und Apathie ihrer Schüler. Das Verhältnis des Staates zu seiner jüngsten Generation wird allmählich paradox. Die brave Mehrheit, auf die die Funktionäre sich berufen, will vom Staat für ihre Anpassung mit Konsumgütern, Freizeit- und Reisemöglichkeiten belohnt und ansonsten in Ruhe gelassen werden. Die unbequeme Minderheit hingegen, die nach neuen Wegen in Politik und Kultur sucht, wird von den Funktionären mit Verdächtigungen überhäuft und vom Sicherheitsapparat gebeutelt und gefilzt.

Was hier verteidigt wird, ist nicht der Sozialismus. Hier wehrt sich eine konservative Mittelstandskultur gegen ihre Infragestellung durch Randgruppen. Diejenigen, die den Hammer der Staatsmacht schwingen, als gelte es, den Untergang des Sozialismus zu verhindern, folgen nur ihrem kleinbürgerlichen Instinkt. Sie wollen den Mief retten, in dessen ungetrübtem Dunstkreis sie allein etwas darstellen.

Viertel wie der Prenzlauer Berg sind ihnen ein Greuel. In dessen vergammelten Häuserblocks hält sich nun schon seit mehr als einem Jahrzehnt die Crème der Ost-Szene, der Miefquirl von Honnis durchzugsarmer Republik.

3
«Unsere Zukunft hat schon begonnen»

Die Ökologiebewegung

Abends, auf einer Fete bei Sally in Berlin-Mitte. 50 Leute stehen dichtgedrängt oder lagern auf alten Matratzen und selbstgezimmerten Sperrholzmöbeln. Ein Raum, Küche, Hinterhaus, zwei Treppen, Außenklo. Jemand sammelt Geld, um unten aus der Kneipe Bier zu holen. In der Küche steht ein Schmalztopf, mehr gibt's nicht.

Jemand verteilt Zettelchen, ein Datum steht drauf, Uhrzeit und drei Treffpunkte. «Fahrraddemo», erklärt einer, «wir teilen uns diesmal gleich auf drei Orte auf, damit wir ungestört durchkommen. Von Norden, von Osten und von Süden geht's Richtung Stadtmitte.»

Die Behörden versuchen mit allerlei Tricks, solche organisierten Demos zu verhindern. Sally: «Radfahren ist doch nicht verboten. Einmal haben sie aber einfach keinen losfahren lassen. Da waren sie an unserem Treffpunkt und haben einfach die Fahrräder unendlich lange auf ihre Verkehrssicherheit hin überprüft – und die Papiere von allen Leuten. Die haben irgendwas gequasselt von wegen Verkehrsgefährdung und so, weil wir in einer Gruppe fahren wollten. Schließlich haben sie uns aber doch fahren lassen. Aber jeden schön einzeln.»

Fahrradfahren ist auch in der DDR ein Markenzeichen für Umweltbewußtsein geworden. Alte Räder stehen hoch im Kurs, an neue ist nur schwer ranzukommen. Die SED hat dieses neue Bedürfnis nicht vorausgeplant. Fast überall in den Städten fehlen Radwege, sie gehören darum zu den Forderungen, auf die solche selbstorganisierten Radfahrten unter anderem aufmerksam machen wollen.

Als vor einem Jahr in der DDR neue Verkehrsregeln in Kraft traten, die unter anderem die Benutzung der rechten Fahrspur bei mehrspurigen Straßen vorschrieben, fühlten sich die Radler in den Städten besonders gefährdet, weil sie seitdem stärker bedrängt werden und keine Ausweichmöglichkeiten mehr haben. Bei der Volkspolizei gingen daraufhin zahlreiche Eingaben ein, sie möge doch die Situation der Radfahrer auf den Straßen verbessern, das Gesetz rückgängig machen und überhaupt endlich das Radfahren als Beitrag zu einem stärkeren Umweltbewußtsein propagieren.

Ein fünfzigjähriger Vater berichtet: Seine Tochter sei jetzt achtzehn, sie habe «keinen Bock», schon jetzt ein Auto zu bestellen, sie wolle ihr Leben nicht auf acht Jahre im voraus planen. Im übrigen könne sie ohnehin auf einen qualmenden Trabi oder Wartburg verzichten, denn «die verpesten bloß die Luft»; und mit dem Geld lasse sich vieles verwirklichen, was ihr mehr Spaß mache.

Ihre Freundin will mit Gesinnungsgenossen eine Öko-Gruppe aufmachen. Einer sammelt seit Monaten die einschlägigen Berichte aus den volkseigenen Zeitungen. Thomas: «Das ist herzlich wenig, wenn auch wesentlich mehr als früher. Wenn von oben nichts kommt, müssen wir eben selbst was machen.»

Meinungen über Ökologie werden nicht mehr nur auf privaten Festen ausgetauscht. Wer durch die Altbauviertel von Leipzig, Ost-Berlin oder Dresden geht, kann die Signale sehen: bemalte Fensterscheiben; Regenbögen und Wolken am blauen Himmel auf den Balkonen; Bäume, Blumen, Wiesen und Sonnenschein auf einst grauen Hofmauern.

Umweltpostkarten verkaufen sich in der Szene gut. Sie werden nicht nur bei kirchlichen Veranstaltungen gezeigt, selbst beim Pressefest des SED-Zentralorgans *Neues Deutschland,* im FDJ-«Haus der jungen Talente» oder beim Festival «Rock für den Frieden» wurden sie angeboten.

Die Karten zeigen beispielsweise den DDR-Volkswagen Trabant mit der ironischen Unterschrift: «Schützt Eure Autos». Oder: eine Reihe parkender Trabis, grün übertüncht.

Darunter der Vorschlag: «Grüner unsere Städte! (Eine Möglichkeit)». Eine hintergründige Fotomontage zeigt das Wunschbild einer Neunjährigen aus dem Ost-Berliner Beton-Neubauviertel Marzahn. Ein Einfamilienhaus mit Garten. Hinter der Zeichnung ragt jedoch die öde Fassade eines Marzahner Wohnblocks empor, die Realität für das Mädchen. Das Medium Postkarte macht deutlich, worum es den engagierten Öko-Freunden geht: Sie wollen im direkten Kontakt mit den Bürgern Denkanstöße geben, Aufklärungsarbeit leisten.

Vor vier Jahren wurden kirchlich engagierte Jugendliche in Schwerin zum ersten Mal konkret: Sie baten den volkseigenen Betrieb «Stadtgrün» um Unterstützung für eine Baumpflanzaktion in einem kahlen Industrieviertel. Beim ersten Mal waren 50 Jugendliche dabei, beim zweiten Mal 100, später über 200. Das Beispiel hat überall in der DDR Schule gemacht.

Die Aktionen liefen in allen Städten mehr oder weniger ähnlich ab: Ein Vorbereitungskreis übernahm die Organisation. Das bedeutete: Unterstützung für die Idee innerhalb der Kirche zu erlangen; beim örtlichen Betrieb «Stadtgrün» vorstellig zu werden, damit der Bäume, Bagger und Lastwagen zur Verfügung stellte; eine Abendveranstaltung mit abwechslungsreichem Programm – vom Fachvortrag bis zum improvisierten Rollenspiel – detailliert auszuarbeiten und genehmigen zu lassen; schließlich mußten auch noch Leute zusammengetrommelt werden.

«Der Zweck unserer Baumpflanzaktion ist nicht allein das Bäumepflanzen. Das Pflanzen selbst ist vielleicht *nur* eine symbolische Handlung, deren praktischer Wert nicht sehr groß und auch nicht entscheidend ist. Entscheidend ist aber, daß wir durch so eine Aktion angeregt werden, über unser Umweltbewußtsein und unseren Lebensstil nachzudenken und beides zu verändern», schrieb 1980 eine Rostocker Umweltgruppe in einem selbstgestalteten Info-Heftchen, das neben einigen Sachbeiträgen noch Gedichte und Lieder zum Thema enthielt.

Gesungen wird dann auch bei so mancher Baumpflanzaktion – manchmal so locker, daß die Anwohner neugierig aus den sonst verschlossenen Fenstern lugen, um zu sehen, was sich denn da wohl plötzlich vor ihrer Haustür abspielt. «Das ging vielen erstmal nicht in den Kopf», berichtet Bernd, der in Schwerin schon mehrmals dabei war. «Die kannten zwar die verordneten Arbeitseinsätze. Aber das wir das freiwillig machten, das fanden sie trotz aller Zustimmung doch reichlich seltsam.»

«Als wir im November 1979 erstmals über eine Baumpflanzaktion in Schwerin berichteten, dachte wohl noch niemand daran, daß einmal eine ganze Reihe christlicher Umweltschutzgruppen entstehen würde», resümierte die *Mecklenburgische Kirchenzeitung* im Mai 1983. «Ein Treffen aller Öko-Gruppen», berichtete das Blatt weiter, sei erstmals im April 1983 in Wittenberg zustandegekommen. Über 30 Abgesandte waren von selbständig arbeitenden Öko-Gruppen in Rostock, Potsdam, Berlin, Rötha, Leipzig, Dresden, Jena-Neulobeda, Karl-Marx-Stadt und Naumburg geschickt worden. «Schade», meint der Autor, «daß aus Orten mit einer starken Umweltbelastung, wie Bitterfeld, Halle oder Freiberg keine Vertreter kamen, weil dort noch keine Gruppen existieren.»

«Noch» existieren in diesen Städten keine Öko-Gruppen – das «noch» wundert bereits den Beobachter im eigenen Land. «Noch nicht» ist für ihn schon bemerkenswerter als die Tatsache, daß Dutzende Vertreter von Umweltgruppen ihre eigene Konferenz abhalten, was vor drei, vier Jahren keiner in der DDR für möglich gehalten hätte.

Auf einer Serie regionaler Kirchentage im Jahre 1983 traten Öko-Freunde mit Informationsständen und Broschüren auf. Die Podiums-Diskussionen über Luftverschmutzung in den dortigen Braunkohlegebieten hatten in Halle und Leipzig, die Diskussionen über das Waldsterben im Erzgebirge in Dresden großen Zulauf.

Eine Rostocker Umweltgruppe stellte beim dortigen Kirchentag im Juni 1983 eine mit bunten Fähnchen gespickte

DDR-Landkarte aus. In Rostock, Ost-Berlin («I und II»), Potsdam, Wittenberg, Halle, Leipzig, Rötha (kleiner Ort südlich von Leipzig), Naumburg, Jena, Cranzahl, Karl-Marx-Stadt und Dresden gibt es danach Umweltkreise. Baumpflanzaktionen gab es, den Rostockern zufolge, außer in der Mehrzahl der genannten Orte noch in Magdeburg, Neubrandenburg, Neustrelitz, Güstrow, Schwerin und Parchim. An der Ökofront stellt sich das Nord-Süd-Gefälle in der DDR ausnahmsweise einmal umgekehrt dar. Der ansonsten langweiligere ländliche Norden läuft hier dem urbanen Süden davon.

Die Mecklenburger Öko-Gruppen protestieren gegen den Bau einer neuen Autobahn, die in Ludwigslust (am Autobahnkilometer 73,0) von der Strecke Hamburg-Berlin abzweigen und Schwerin mit der Küstenstadt Wismar verbinden soll. Die Umweltschützer vermuten, daß Wismar als zweiter Schwerpunkthafen neben Rostock ausgebaut werden soll, damit die DDR weniger als bisher vom polnischen Ostseehafen Szczecin (Stettin) abhängig ist.

Die neue Trasse würde die Erholungsgebiete um den Schweriner See zerteilen. «Schon der Bau der Hamburg-Autobahn war ökologisch für diese Region absolutes Gift», meint Gerd aus Schwerin. Er hat an einer Fahrraddemo teilgenommen, die entlang der geplanten Trasse von Schwerin aus durch mehrere Dörfer führte. «Dabei sind wir mit vielen Leuten ins Gespräch gekommen. Die hatten keinen blassen Schimmer, was hier passieren soll.» Die Initiative fordert von den Behörden deshalb mehr Information über die Planung.

Ärgerlich ist für mecklenburgische Umweltschützer auch der geplante Bau eines Flugplatzes bei Laage – mitten in einem Naturschutzgebiet. Am ersten Juni-Wochenende 1983 luden die Mecklenburger aufs neue zur Fahrraddemo. Diesmal hatten sich um die hundert Öko-Freunde aus anderen Regionen, die meisten aus Ost-Berlin, angesagt. Das war den Behörden zuviel. Wer per Fahrrad anreisen wollte, wurde schon am Bahnhof als Demonstrant identifiziert und festgenommen. Zwei Dutzend sammelten sich schließlich am verabredeten Ort.

Die SED hat 1980, um den Unmut zu kanalisieren, die «Gesellschaft für Natur und Umwelt» gegründet. Sie ist vor Ort meist nach dem üblichen Kaderplan aufgezogen: Die Partei legt fest, welche Genossen und Fachleute dem Verein beitreten sollen. Dann wird an die SED-Bezirksleitung gemeldet, die politische Arbeit sei nun erfolgreich auch auf den Bereich Umweltschutz ausgedehnt worden. Danach herrscht meist wieder Funkstille.

Das ist aber nicht überall so: In Leipzig oder Rostock etwa leistet die Umweltgesellschaft nützliche Arbeit. Gesellschaftspolitisch Interessierte finden sich in der DDR eher bei den Natur- als bei den ideologiebefrachteten Sozialwissenschaftlern. Engagierte Fachleute sind bereit, sich, je nach Präferenz, bei der Kirche oder in der staatlichen Umweltgesellschaft zu betätigen. Die kirchlichen Öko-Gruppen haben deshalb selten Schwierigkeiten, Referenten für Diskussionsabende zu finden.

So schätzen etwa die Rostocker kirchlichen Umweltschützer die Bemühungen der örtlichen SED-Umweltgesellschaft recht positiv ein: «Die setzen sich für ganz konkrete Sachen ein, Aufforstung, Grünanlagen und so.» Dafür arbeiten auch die christlichen Grünen: «Unser Projekt sind 700 Bäume an der Autobahn. Die haben wir selbst gepflanzt und hochgepäppelt.»

Die Breite des Umweltanliegens, seine handgreifliche Bedeutung vor Ort kommen dem Wunsch, «mal selbst was zu tun», sehr entgegen. Der staatsloyale Sektor dieses Spielraums ist entschieden größer als bei der Friedensthematik. In dieses Bild paßt auch die asketische Figur des religiösen Ökologen Peter Gensichen. Er leitet das Wittenberger kirchliche Forschungsheim, ediert ein unregelmäßig erscheinendes Umweltinfo und rief 1983 zwischen Aschermittwoch und Ostern zum Fasten auf. Sein Fastenbrief, den etliche DDR-Kirchenzeitungen druckten, enthält detaillierte Vorschläge zum Fleisch-, Kaffee- und Alkoholverzicht.

«Einübung in einen einfacheren Lebensstil» nennt er das und wettert gegen seine Fleisch, Promille und Rauch verzehrenden Zeitgenossen.

Anderen Umweltfreunden ist das viel zu idealistisch. Ein Ost-Berliner Theologiestudent: «Das schmeckt nach Kasteiung und Entsagung.» So könne man den Leuten nicht kommen, ein alternativer Lebensstil solle doch schließlich Spaß machen. Der protestantische Aufruf zu Umkehr und Buße ist nicht jedermanns Sache. Natürlich ist die jetzt in Gang gekommene Umweltdiskussion seiner Ansicht nach nützlich, doch sei fraglich, ob die immer wieder beschworenen «kleinen Schritte des Einzelnen» überhaupt noch helfen könnten. Angesichts der schon bestehenden und der in den nächsten Jahren immer schneller eintretenden und gravierenden Schäden wirke es doch «etwas hilflos», was in der DDR an Engagement derzeit möglich sei.

In dieser Situation erweisen sich im Mutterland der Reformation einige protestantische Intellektuelle wieder einmal als Vordenker. Sie geben Studien heraus, halten Vorträge oder verfassen Thesen. Die marxistischen Philosophen und Naturwissenschaftler sind schon auf sie aufmerksam geworden, einige kommen zu den Vorträgen, andere besorgen sich die Skripten. Zum öffentlichen Dialog hat es allerdings noch nicht gereicht. Kleine Dialoge finden dagegen immer häufiger statt. Diskutiert wird beispielsweise in philosophischen Seminaren einer staatlichen Universität über die sogenannte «Leistungsstudie» aus der Theologischen Studienabteilung beim DDR-Kirchenbund. Darin werden die Auswirkungen der Leistungsanforderungen auf die Lebensweise der Menschen kritisch untersucht. Ähnlich wie von den Jugendlichen an der Basis werden auch in solchen Texten immer wieder Gesprächsangebote gegenüber der Partei geäußert.

In der Schlußpassage der «Leistungsstudie» heißt es etwa: «Wenn wir die partielle Verlagerung der materiellen Bedürfnisse auf geistige und kulturelle vorantreiben wollen, wie es der IX. Parteitag der SED gefordert hat, dann müssen wir auch eine Ethik des bewußten Verzichts in bezug auf materielle Ansprüche einüben.» Doch entgegen falschen Askese-Vorstellungen, wie sie sich allzuschnell mit Fasten, «einfach leben» und «alternativem Lebensstil» verbinden könnten, wird ausdrücklich eine «Ethik des Wohlstandes» gefordert, die etwas anderes sei als Sparsamkeit und Verzichtpredigt.

Gleichaltrige linientreue FDJler hämen gern gegenüber ihren grünen Klassenkameraden: «Wills' wohl zurück in die Steinzeit?» Dem hält die Studie entgegen, wer spart, ändert nichts an seiner Bedürfnisstruktur, der schränkt seine Bedürfnisse nur etwas ein. Ebensowenig wolle man «eine mystisch asketische Weltflucht». Denn dadurch würden die Probleme, die durch unsere bisherige Lebensweise entstanden sind, nicht beseitigt. «Es muß uns aber darum gehen, die Welt und das Leben zu erhalten, ohne dabei die Hoffnung aufgeben zu müssen, daß auch das menschliche Leben schöner, fröhlicher, phantasiereicher, freier werde.»

Manche Passagen in solchen Texten lesen sich wie einst Herbert Marcuses Kritik an der westlichen «eindimensionalen Gesellschaft», dereinst Lese- und Zündstoff revoltierender Studenten. 20 Jahre später trifft die Leistungskritik die östliche Gesellschaft:

«Die Annahme, man könne Glück auf irgendeine Weise produzieren, muß als Illusion erkannt werden. Von dieser Illusion sind aber alle Vorhaben getragen, die vom verändernden, produzierenden und konsumierenden Handeln allein die Verbesserung menschlichen Lebens erwarten. Gegensatz zu diesem Aktivismus des Produzierens und Konsumierens ist . . . nicht die Askese, sondern ein definierbares Lebensziel. Was wir . . . brauchen, ist eine ethische Grundeinstellung, die durch partiellen Verzicht eingeübt werden kann, die sich aber nicht schon im Verzichten erschöpft. Sie muß die Ökonomie wieder in den Dienst eines Zeit und Welt transzendierenden Lebensgefühls stellen. Sie darf sich nicht auf das kleinliche Rationieren und Konditionieren einlassen, solange das nicht wieder unumgänglich wird. Verzicht in diesem transzendierenden Sinne setzt Kräfte frei, die im maßlosen Besitz- und Verbrauchsverhalten aufgezehrt werden. Es könnte sich auch in einer sozialistischen Gesellschaft herausstellen, daß der bewußte Verzicht auf Herstellung und Verbrauch bestimmter Güter ein Gewinn an Freiheit bedeutet, kommunikative und kreative Tätigkeiten ermöglicht, die durch unbedachten Konsum verschlissen werden und wegen des steigenden Verbrauchs zwangsläufig in die Produktionssphäre eingespeist werden müssen.»

Mit der gleichen Problematik befaßt sich die Ausarbeitung eines Wittenberger Arbeitskreises. «Menschliche Arbeit», heißt es dort, «darf auch in der DDR nicht mehr vorrangig auf die weitere Anhäufung und den beschleunigten Verbrauch materieller Güter, sondern mehr als bisher auf geistig-kulturelle Betätigung, soziales Engagement und solidarische Lebenshaltung gelenkt werden.»

Was hier formuliert wird, erscheint immer wieder in den Meinungen der zivilisationskritischen Jugendlichen. Etwa im Punk-Song «Tag für Tag im Schrank»: «Keine Lust zur Arbeit. Keine Lust. Keine Lust. Schrank. Schrank. Ich mag nicht zur Arbeit. Nein! Nein!»

Was sich auf der einen Seite als Ergebnis langwieriger Reflexionen herausschält, ist im anderen Fall emotionales Herausbrüllen eines Lebensgefühls, das die Punks mit vielen Altersgenossen teilen. Die Arbeitsmoral ist jedoch kein spezifisches Jugendproblem. Unlust an der Arbeit zieht sich durch alle Generationen. «Der Mensch möchte arbeiten, aber nicht nur zur Lebenserhaltung, sondern auch zur Lebensgestaltung», meint einer der Verfasser der «Leistungsstudie» im Gespräch. Die Möglichkeit, sinnvoll und befriedigend zu arbeiten, würde in der DDR immer geringer. «Jeder kann zwar mit Hilfe der Arbeit sein Leben erhalten, aber er kann durch seine Arbeit nicht mehr sein Leben gestalten. Deshalb läßt die Moral nach, läßt das Engagement im Betrieb nach und wird in die Freizeit verlagert.»

Es gibt so etwas wie einen gemeinsamen Nenner, den die auf den ersten Blick recht unterschiedlichen Kritiker miteinander teilen. Das ist eine Zivilisationskritik, die ein allein am materiellen Wohlstand orientierter Sozialismus, der die geistig-kulturelle Integration seiner engagiertesten Bevölkerungsgruppen Polizei und Geheimdienst überlassen hat, zwangsläufig hervorrufen mußte. Insofern geht es den Aktiven in der Ökologiebewegung auch um mehr als bloßen Umweltschutz nach Försterart.

Der mit immer größeren Anstrengungen verbundene Versuch, den Westen zu überflügeln, das wechselseitige Abschätzen des erreichten materiellen Wohlstands hat damit endgültig seinen Sinn verloren. Diese Wertorientierung ist perspektivlos, ja gefährlich geworden. West und Ost dürften dann nicht mehr um Wachstumsraten miteinander konkurrieren. Ein neuer Systemvergleich ist fällig, bei dem möglicherweise die DDR in einigen Punkten die besseren Ausgangschancen hätte, wenngleich sich der Westen bislang erneut als flexibler und leistungsfähiger auch angesichts der Ökologieproblematik erwiesen hat.

Die Umweltkritik junger Gruppen in der DDR ist in ihrem Kern mehr Selbstkritik als Gesellschaftskritik. Die Ökologen versuchen an Stelle des passiven Staates gegenüber der Bevölkerung eine aktive, aufklärerische Rolle einzunehmen. Das «Wir» dominiert in den Bilanzen der Umweltschädigung, eine direkte Anklage wird zumeist vermieden.

«Die Abhängigkeit von der Technik findet heute ihren Ausdruck in unserem Lebensstil, der uns der Natur . . . so entfremdet hat, daß wir auf die technischen Möglichkeiten von der Nahrungsmittelherstellung bis zur Hygiene, von der Kleidung bis zur Freizeitkultur nicht mehr einfach verzichten können», heißt es in der Wittenberger Schrift. «Wir» gehen von der technischen Machbarkeit aller Dinge aus; «wir» sind am kurzfristigen Nutzeffekt orientiert; «wir» haben materiellen Besitz und Leistungsprinzip zum höchsten Wert erhoben. Autofahren, Datschenbau, ständig steigender Fleischkonsum werden in dem Wittenberger Papier immer wieder als Punkte der (Selbst-)Kritik aufgeführt.

46

Er enthält zwar auch einen Katalog von Forderungen an den Staat und setzt sich mit den staatlichen Wirtschaftsleitlinien kritisch auseinander. Grundlegend bleibt aber – wie bei vielen anderen Arbeiten aus der DDR-Ökologiebewegung – die Erfahrung einer in der ost-westlichen Systemkonkurrenz befangenen DDR-Bevölkerung. Der Erfurter Kirchenmann Heino Falcke, zivilisationskritischer Vordenker in Sachen «Kirche und Gesellschaft», drückte das in einem Referat so aus: «Die Bevölkerung ist weitgehend am westlichen Konsumstandard orientiert, drängt auf Erhöhung des Lebensstandards und mißt den Wert des Gesellschaftssystems vornehmlich an seiner wirtschaftlichen Leistungsfähigkeit.»

Diese Einschätzung ist bei den DDR-Ökologen sehr verbreitet und mitunter eine Quelle der Resignation. Sie führt meist dazu, die Aktivitäten mehr aufklärerisch gegenüber der eigenen Bevölkerung denn kämpferisch-fordernd gegenüber dem Staat zu organisieren – mit Ausstellungen, Diskussionsabenden, schriftlichen Eingaben, Fahrradfahrten und Baumpflanzaktionen.

In einem früheren Vortrag in Leipzig sprach Falcke von der «Ambivalenz des Fortschritts» und setzte sich im Sinne einer «Kritik der technischen Vernunft» mit dem DDR-Marxismus auseinander. Die marxistische Kritik am Positivismus gehe «nicht tief genug», weil es außer wirtschaftlichen Interessen auch «Machtinteressen» seien, die die Wissenschaftsentwicklung bestimmten, und weil es außerdem «in der Wissenschaft» selbst etwas gebe, «was ihrem Mißbrauch als Mittel der Macht entgegenkommt». Insofern sei auch so etwas wie die offizielle Kampagne «Schöner unsere Städte und Gemeinden» eine «katastrophale Verniedlichung des Problems». «Expertokratie und Technokratie», so Falcke weiter, sei «ein politisches Problem im Osten wie im Westen». Es sei notwendig, sich «auf den Standpunkt derer (zu) begeben, die etwa von den Umweltschäden in Leuna und Buna betroffen sind und nicht auf den Standpunkt derer, die nach den Produktionsziffern dieser Betriebe fragen».

Wie ernst die Umweltschäden in der DDR heute schon sind, wird weitgehend wie ein Staatsgeheimnis behandelt. Wer sich dafür interessiert, muß die Fakten mühsamst aus verstreuten Veröffentlichungen in Fachzeitschriften zusammentragen. Da muß man schon etwa zum *Zentralblatt für Pharmazie, Pharmakotherapie und Laboratoriumsdiagnostik* greifen, um in einer Ausgabe des Jahres 1982 auf einen Bericht über eine Arbeitstagung in Görlitz zur Umweltbelastung des Menschen durch Spurenelemente im Vorjahr zu stoßen. In den langen Fachvorträgen finden sich dann schließlich Angaben über die starke Cadmiumbelastung im Raum der Stadt Freiberg und über erhebliche gesundheitliche Belastungen der Arbeiter einer Nickelhütte im Kreis Aue.

Andere in der Ökologie Engagierte bemühen sich um Informationen aus den «Durchführungsbestimmungen» zu den DDR-Gesetzblättern und aus statistischen Jahrbüchern. An die Grenzen in Sachen Information stoßen sie aber spätestens dann, wenn es praktisch wird: So finden sie kaum eine Stelle, die ihnen eine Wasseranalyse machen kann. Die staatlichen Zahlen werden wie eine Verschlußsache gehandelt.

Die Begründungen sind insbesondere, die Bevölkerung dürfe nicht beunruhigt werden und der Klassenfeind solle nichts erfahren, denn dies bedeute eine Schwächung der Position im Klassenkampf. Ein Wittenberger Umweltkreis – bestehend aus jungen Naturwissenschaftlern, Technikern und Theologen, darunter Peter Gensichen – brachte im Juni 1982 nach mehrjähriger Arbeit ein 74 Seiten starkes Arbeitspapier heraus – allerdings «nur für den innerkirchlichen Dienstgebrauch», wie es auf den hektographierten Exemplaren heißt.

Die Nachfrage war so groß, daß die Herausgeber ihre Leser baten, das Material nicht abzulegen, sondern nach Lektüre postwendend an sie zurückzuschicken, damit es von Wittenberg aus wieder an neue Interessenten versandt werden kann.

Die ersten Seiten des Papiers «Zur Situation» lesen sich wie eine Schreckensbilanz:

▷ In der DDR sind gegenwärtig 83 Pflanzenarten ausgestorben, 581 Arten (das sind 31,5 Prozent) gelten als vom Aussterben bedroht.

▷ In Halle an der Saale stieg die Zahl der Nebeltage von 13 (im Jahre 1900) auf 64 (1968). Chronische Bronchitis tritt im Bezirk Halle zweieinhalbmal häufiger auf als im Bezirk Neubrandenburg.

▷ Katastrophale Ausmaße hat die Waldschädigung durch Schwefeldioxid bei den Fichtenbeständen des Erz- und Elbsandsteingebirges erreicht. Der gesamte Waldbestand ist dort unwiderruflich geschädigt, ein Teil bereits vernichtet.

▷ Im Bezirk Dresden sind 63 Prozent der Oberflächengewässer über die gesetzlich festgesetzten Maximalwerte hinaus verschmutzt. Die Flüsse im Bezirk Halle führen auf 91 Prozent ihrer Länge hochgradig vergiftetes Wasser. In den meisten Regionen der DDR überschreitet der Gehalt an krebserregendem Nitrat die Gefahrenmarke von 40 Milligramm pro Liter, so daß in Mütterberatungsstellen bereits von der Zubereitung der Säuglingsnahrung mit Trinkwasser abgeraten wird. Ein Ausweichen auf Selterwasser ist allerdings mittlerweile auch nicht mehr möglich, da in ihm der Salzgehalt zu hoch ist.

▷ In Großstädten der DDR wurden schon 1970 in Verkehrsspitzenzeiten bis zu 30 Milligramm Kohlenmonoxid (CO) je Kubikmeter Luft gemessen; die gesetzlich festgelegte Höchstkonzentration für kurzzeitige Belastungen beträgt 3 Milligramm CO je Kubikmeter. Diese Kohlenmonoxidbelastung kann zu psychomotorischen Fehlleistungen, zu einer Einschränkung des Sehvermögens und zu chronischen Schädigungen der Hirnfunktion führen.

Die Auflistung der real existierenden Umweltgefahren geht noch seitenlang so weiter: Lärmbelästigung, Eßgewohnheiten, Verwendung von Chemikalien in der Landwirtschaft,

Autoabgase, Braunkohlenutzung und so weiter – kaum ein Lebensbereich, der nicht schon betroffen wäre.

Ein Problem dagegen ist bis heute – auch von den neuen Öko-Gruppen – verdrängt worden: die Risiken von Kernkraftwerken, von denen es in der DDR freilich weit weniger gibt als in der Bundesrepublik. Informiert wird über das Thema so gut wie nicht, und als der amerikanische Reaktor in Harrisburg nach einem Zwischenfall beinahe durchzubrennen drohte, war das dem *Neuen Deutschland* nur eine winzige Zehn-Zeilen-Meldung über eine «Havarie» in den USA wert.

Eine fehlende Anti-AKW-Bewegung in der DDR hat darum schließlich, nach Einschätzung eines Atomwissenschaftlers aus Ost-Berlin, dazu geführt, daß die Sicherheitsanforderungen an die volkseigenen Atomkraftwerke sehr heruntergeschraubt wurden. Erst der neueste Block in Stendal und alle weiteren für die achtziger Jahre geplanten Atommeiler sollen einen Stahlbetonmantel als Berstschutz erhalten, der bei westlichen Kraftwerken längst zum Standard zählt. Der Wissenschaftler war bei einer halböffentlichen Erörterungsveranstaltung in Magdeburg dabei, bei der erstmals DDR-Atomwissenschaftler die weiteren Ausbaupläne schilderten und auf Fragen besorgter Mitbürger eingingen.

Die Experten erklärten jedoch, daß an der Atomenergie kein Weg vorbeiführe. In den neunziger Jahren werde die Kernenergie so weit ausgebaut sein, daß der wachsende Bedarf an Elektro- und Wärmeenergie zu vertretbaren Preisen gesichert sei. Auf mehrmaliges Nachfragen von Zuhörern über die Sicherheit des in der Nähe von Magdeburg neu entstehenden Werks antwortete ein staatlicher Experte: «Für das Großprojekt in Stendal sind zuverlässige Maßnahmen zum Schutz der Bevölkerung, der Umwelt und der dort Beschäftigten ergriffen worden. Die Reinhaltung der Luft und des Wassers sowie die Sicherheit des Werkes vor äußeren Einwirkungen ist gewährleistet.»

Derzeit beträgt der Anteil des Atomstroms an der Stromversorgung zwölf Prozent und soll bis zum Jahre 1990 auf 20 Prozent gesteigert werden. In Stendal und Greifswald arbeiten dann jeweils vier Blöcke mehr, mit einer Gesamtleistung von etwa 7000 Megawatt. Zum Vergleich: 1990 werden in der Bundesrepublik 32 Kernkraftwerke mit 34 000 Megawatt in Betrieb sein.

Wie unsicher die DDR im Umgang mit ökologiebewußten Fragern in Sachen Kernenergie ist, zeigt folgendes Beispiel: In Magdeburg hatte das Bezirksorgan *Volksstimme* in der üblichen Vollzugsberichterstattung über eine sowjetische Kernenergieausstellung geschrieben. Der promovierte Ingenieur und Pfarrer Gerhard Loettel schrieb an das Blatt: «. . .daß die Nutzung einer neuen Energieform wirklich in der verantwortlichen Zustimmung der gesamten Gesellschaft liegen muß und daß diese Gesellschaft dann auch wissen muß, worauf sie sich da zustimmend einläßt.» Dazu müßten aber auch die möglichen Gefahren dieser neuen Energieform einer breiten Öffentlichkeit zugänglich gemacht werden.

Der besorgte Magdeburger wies dabei auf drei Punkte besonders hin: Erstens habe es bisher keine Technik gegeben, die von unerwünschten Auswirkungen frei war, zweitens habe zwar die Wahrscheinlichkeit eines Schadens mit der Fortentwicklung der Technik abgenommen, die Tragweite eines Schadens jedoch zugenommen, und drittens habe die Manipulation an der Natur heute eine neue Qualität erreicht, denn mögliche Schäden würden gleich auch zukünftige Generationen betreffen (zum Beispiel durch Genveränderungen). Loettel schloß seinen Leserbrief: «Was aus Profitinteresse ein kapitalistisches Unternehmen nicht zu tun bereit ist, sollten Sozialisten tun, daß heißt neben den Vorteilen der neuen Energieproduktion auf die Gefahren hinweisen, die möglicherweise damit auch verbunden sein können.»

Die *Volksstimme* druckte diesen Brief nicht ab, antwortete aber Loettel, er solle doch Beweise vorlegen, wo und in welchem Falle die SED bei Beschlüssen über den Bau von Kernkraftwerken leichtfertig gehandelt habe, wo Kernkraftwerksunfälle zum Tode zahlreicher Menschen und zur radioaktiven Verseuchung von Landstrichen geführt hätten und wo in einem sozialistischen Land Umweltbelastungen durch Baumängel oder Verletzungen der Sicherheitsbestimmungen aufgetreten seien. Im übrigen bezeichnete die *Volksstimme* es als vorrangige Aufgabe, über die Gefahren eines atomaren Krieges zu sprechen, nicht über die Gefahren der friedlichen Nutzung der Kernenergie.

In einem neuen Brief stellte Loettel noch einmal sein Anliegen dar. Er habe doch in seinem ersten Brief in keinem Fall von bewußt leichtfertigem Handeln, von bereits erfolgtem «Leben-aufs-Spiel-setzen», von geschehenen Verseuchungen und erfolgter Umweltbelastung geschrieben. Darum gehe es ihm nicht. Was er wolle, sei nicht von solchen Beweisen abhängig: Jede Technik habe das Risiko von Versagen, Nebenwirkungen, von Unvorhergesehenem. Hinzu kämen Zusatzrisiken durch Erdbeben, Havarien, fahrlässiges Handeln, psychische Störung des Bedienungspersonals und so weiter.

Die Frage sei also: «Sind wir auch bereit, die eventuell möglichen Folgen der Kerntechnologie zu tragen?» Eine solche Entscheidung sei doch wohl nur von einer gut informierten Gesellschaft und nicht nur von einigen Experten zu treffen. Die Offenlegung und eine breite Diskussion der Schadensmöglichkeiten verhinderten eine Verdrängung der Verantwortung des einzelnen. Diese trete sonst zwangsläufig ein, weil in den Dimensionen der Großtechnik die möglichen schädlichen Folgen anonymer, ungreifbar und letztlich unvorstellbar blieben. Die öffentliche Diskussion der Gefährdungen bewirke also im Endeffekt eine größere Verantwortlichkeit, könne also deren Gefährlichkeit verringern.

Auf diese Gedanken ging die *Volksstimme* nicht ein. Sie schrieb an Loettel, «daß wir nicht daran interessiert sind, eine Diskussion über Fragen der Kernenergie zu führen. Angesichts der immer knapper werdenden Vorräte an fossilen Brennstoffen gibt es in naher Zukunft keine Alternative, als mit Hilfe der Kernkraft den Energiehunger der Menschheit zu stillen.»

Das war also das Ende der Debatte. Mehr ist für einen betroffenen DDR-Bürger nicht drin. Seitdem im Jahre 1952 die Verwaltungsgerichte abgeschafft wurden, gibt es keine Möglichkeit gerichtlicher Einsprüche gegen den Bau von Atomanlagen, auch nicht den Rechtsbehelf der förmlichen Beschwerde, der für unzulässig erklärt wurde. Bei der Planung einer neuen Anlage kann nach dem 1962 verabschiedeten Atomenergiegesetz für das betroffene Gebiet vom Staat ein «Schutzgebietsverfahren» eingeleitet werden. Das hört sich freundlicher an, als es ist. In Wirklichkeit handelt es sich um ein Enteignungsverfahren, denn die Erklärung zum Schutzgebiet besagt, daß in dem Areal alle Eigentums- und Grundstücksrechte entzogen werden können. Anti-Atomkraft-Initiativen haben weit weniger Chancen auf Erfolg als andere Umwelteingaben, die sich auf zumindest formaljuristisch existierende Vorschriften, Einspruchs- und Strafverfolgungsmöglichkeiten gründen, zudem sind die Schäden wenig sichtbar.

Das ist bei Braunkohle ganz anders. Durch deren Abbau entstehen ganz unmittelbare Landschaftsschäden, und durch die Verbrennung hinterläßt die Schwefelluft deutlich sichtbare Schadspuren, die etwa zum Waldsterben führen.

«Unsere Gewässer sind verseucht, die Luft, die wir atmen, ist voll Staub, übelriechende Abgase beeinträchtigen unsere Gesundheit und das Leben unserer Kinder und Enkel. Welche Schadstoffe wir mit unserer Nahrung aufnehmen, können wir nur ahnen», so ein Bewohner von Mölbis über die Folgen der Kohlenutzung. Mölbis liegt in Sachsen, im Braunkohlegebiet von Böhlen-Espenhain. Es ist das durch den Tagebau am schlimmsten betroffene Dorf. Dort regt sich in der gesamten Bevölkerung Unmut, Ärger, Angst und ein bißchen Widerstand.

Sarkastisch formulierten die Organisatoren das Motto einer Umweltveranstaltung: «In Mölbis hat unsere Zukunft schon begonnen!» 450 Menschen kamen am Pfingstmontag

1983 trotz strömenden Regens zum Öko-Gottesdienst im Freien. Das ganze Dorf zählt 500 Einwohner und gilt eigentlich als nicht mehr zu retten: In den Gärten wächst keine Petersilie mehr, anderes Grünzeug kümmert mit eingerollten Blättern dahin. Birke und Pappel sind ausgestorben, die Bienen praktisch auch. Ständig liegt eine Staubwolke über dem Nest. Bei Südwestwind kommt das Gas, dann wagt niemand im Dorf, die Fenster zu öffnen. Gäste, die den Gestank nicht gewöhnt sind, werden von Kopfschmerzen geplagt oder müssen sich übergeben, Babys leiden schon an Bronchialasthma, Schulkinder und schwangere Frauen werden zur Erholung fortgeschickt. Das Leben wird zum täglichen Kampf gegen den Dreck.

Beim Dresdner Kirchentag klagten einige Dorfbewohner erstmals vor einer größeren Öffentlichkeit über diese Zustände. Die Kirche bot ihnen im Arbeitskreis «Unsere Enkel wollen auch leben» ein Forum. Der Landesbischof versicherte den Betroffenen seinen persönlichen Willen, mit verantwortlichen Vertretern des Staates gemeinsam nach Ansätzen für Lösungen zu suchen.

Viele im Ort glaubten nicht mehr an eine Lösung, die ihnen die staatlichen Experten versprochen haben, und zogen fort. Die Mehrzahl jedoch hat die Hoffnung noch nicht aufgegeben. Sie organisierten jetzt selbständig Aktivitäten, Umweltseminare, Ausstellungen, Diskussionsveranstaltungen. «Wir wollen den anderen Leuten zeigen, wohin das alles führen wird, wenn sie nicht rechtzeitig aufpassen», so eine vierundfünfzigjährige Dorfbewohnerin.

Der Umweltschrecken breitet sich auch anderswo in der DDR aus. «Wir dürfen die Früchte, die wir ernten, nicht mehr essen», berichtet eine Frau aus Satzung im Erzgebirge. Dort haben die Braunkohlekraftwerke die Luft derart verpestet, daß viele an Atemnot, Ekzemen, Kreislaufbeschwerden oder Depressionen leiden. Da die DDR-Bevölkerung weitgehend auf ihr eigenes Territorium als Erholungsgebiet angewiesen ist, trifft sie der Verlust ganzer Waldstriche im Harz und im Erzgebirge besonders hart. Die stark schwefelhaltige Braunkohle – einziger heimischer Energieträger – hat das Waldsterben erheblich beschleunigt.

Die DDR hat nach der Verteuerung des Erdöls ihre Energiepolitik drastisch geändert. Braunkohle sollte überall an die Stelle anderer Energieträger treten. Da Schwefelfilter sehr teuer sind und die Vorräte an Braunkohle in der DDR ohnehin in einigen Jahrzehnten verbraucht sind, wurden nur unzureichende Maßnahmen zur Entschwefelung ergriffen. Die minderwertige Kohle verursachte überall Schwierigkeiten. In Stahlwerken blieben einige Öfen kalt, bei der Eisenbahn wurden die einst teuren sowjetischen Dieselloks eingemottet und die alten Dampfloks wieder hervorgeholt, in der chemischen Industrie klappt es bei der notwendigen Prozeßwärme oft nicht.

Der Ersatz von Erdöl durch Braunkohle spart zwar kurzfristig Devisen ein, führt jedoch zu einer ökologischen Katastrophe. Besonders der Raum Halle und Leipzig wird in den nächsten Jahren gefährliche Belastungen mit Schwefeldioxid ertragen müssen. Schon in den siebziger Jahren rieselten auf jeden Bewohner der DDR 236 Kilogramm Schwefeldioxid (Bundesrepublik: 58 Kilogramm). Bis zum Ende dieses Jahrzehnts – so wird geschätzt – dürfte die DDR mehr als rund vier Millionen Tonnen dieses Gifts jährlich in die Luft ablassen. Einige Gegenden werden besonders belastet, weil uralte Anlagen wieder in Betrieb genommen wurden. So beispielsweise in der Umgebung der Schwelereien in Böhlen, Deuben und Espenhain, die teilweise schon stillgelegt waren und den Öko-Standard der Jahrhundertwende vorweisen. In diesem kleinen Bereich werden jetzt schon rund 160 000 Tonnen Schwefeldioxid pro Jahr durch den Schornstein gejagt, wesentlich mehr als im Raum Köln, dem am meisten belasteten Gebiet in der Bundesrepublik. Ende der achtziger Jahre wird für die drei DDR-Orte eine Emission von 400 000 Tonnen jährlich erwartet.

Die SED-Führung und ihre Wissenschaftler kennen die Probleme, sehen sich aber offenbar ökonomisch nicht in der

Lage, etwas zu ändern. Der Beschluß des Zentralkomitees vom Februar 1983, gefährdete Waldstriche durch zusätzliche Düngergaben und Aufforstung mit «rauchresistenten Baumsorten» zu retten, erregte viele Erzgebirgler. «Wann wechseln sie uns gegen rauchresistente Dorfbewohner aus?» fragte einer von ihnen. Bei Männern im Böhmischen Kreis liegt die durchschnittliche Lebenserwartung um vier Jahre unter dem DDR-Normalwert.

1981 kam es zu einem Regierungsabkommen zwischen der DDR und der CSSR. Danach sollten in Nordböhmen keine weiteren Kohlekraftwerke gebaut werden. Besonders gefährdete Gebiete erhalten heute schwefelärmere Kohle. Durch Zugabe von Kalk bei der Kohleverbrennung soll der Schwefelausstoß verringert werden. Doch alle staatlichen Maßnahmen werden von Kritikern als völlig unzureichend beurteilt.

Einstige Erholungsgebiete sind zu wissenschaftlichen Exkursionszielen all derer geworden, die das große Waldsterben studieren wollen. Gegenwärtig sind im Erzgebirge bereits 100 000 Hektar Wald vernichtet, das ist knapp ein Drittel des gesamten Bestandes. Der Rest ist ebenfalls unwiderrufbar erkrankt. In der DDR weitet sich der Schaden immer weiter in Richtung Westen aus. Die nördliche Grenze des geschädigten Waldes bilden etwa die Städte Plauen – Zwickau – Karl-Marx-Stadt – Freiburg – die Dresdner Heide – Kamenz – Löbau/Zittau. Eine Studie der bayrischen Staatsforstverwaltung, die um die heimischen Wälder ebenfalls besorgt ist, sagt dazu: «Wer heute von Joachimsthal über Gottesgab nördlich am Keilberg vorbei – der mit 1244 Meter höchste Berg des Erzgebirges – nach Osten fährt, erlebt eine Landschaft, in der einen unwillkürlich das Grauen packt, eine Gegend, die an ein verlassenes Schlachtfeld erinnert.»

Auch das Riesengebirge ist stark betroffen. Nur noch drei Prozent des dortigen Waldes sind ohne Schaden, das sind etwa 1000 von 32 000 Hektar. Die größten Schäden konzentrieren sich im Westen um das Gebiet des DDR-Industriekombinates «Schwarze Pumpe». Die Entwicklung geht so schnell, daß in fünf, sechs Jahren nur noch Baumskelette in die Luft ragen könnten.

Noch einmal die Studie: «Wer nur vor zehn Jahren in die Hohe Tatra gereist ist, in die Beskiden, ins Riesen-, Iser- oder Erzgebirge, der hat naturnahe unverdorbene Mittelgebirgs- und Hochgebirgslandschaften in Erinnerung, die zum Teil streng geschützt wurden, um großartige Naturlandschaften für künftige Generationen zu sichern. Heute hat sich das Bild völlig verändert. In der Hohen Tatra kränkeln die Fichten auf großer Fläche. An der oberen Waldgrenze sind die Bäume braun und sterben. In den Hochlagen der Beskiden des Riesen-, Iser- und Erzgebirges stirbt der Fichtenwald flächig. Aus großen, wertvollen Schutzgebieten, aus wichtigen Erholungslandschaften – das Riesengebirge hatte zirka sieben Millionen Besucher pro Jahr – sind innerhalb weniger Jahre Gebirge geworden, in denen Waldzerstörungen apokalyptischen Ausmaßes ablaufen.»

Was denkt sich eigentlich ein Parteifunktionär angesichts dieser Situation, wenn er einem Teilnehmer an einer selbstorganisierten Fahrradfahrt, die zur Inspizierung von Schäden in einem Forst nach Leuna und Merseburg führen sollte, als einziges Argument für das Verbot entgegenhält: «Wir lassen uns eine Umweltdiskussion nicht aufzwingen!»?

Oder der Stasi-Mann, der in Halle Anfang Juni 1983 bei Einzelbesuchen Umweltengagierte warnt: «Das ist verboten, wir haben Sie gewarnt. Nicht, daß dann hinterher das Geheule groß ist.» Das sollte die Gewarnten davon abhalten, an einer Radtour zu den chemischen Werken in Buna teilzunehmen. Trotzdem kamen etwa 120 Leute mit ihren Rädern, einige brachten Gasmasken mit, andere selbstgemalte Transparente wie: «Umkehr zum Leben», «Chemie ist schön – Chemie ist nützlich – ist das alles?»

Die Feuerwehr spritzte sogar auf der geplanten Route stellenweise eine Chemikalie auf die Straße, die diese unbefahrbar machen sollte. Die Personalien der Radler wurden erfaßt, sie erhielten Ordnungsstrafen zwischen 300 und 500 Mark.

«Wir wollten nicht länger lamentieren und jammern, man könne ja doch nichts ändern, sondern endlich mal aktiv werden», begründete der Wortführer der Schweriner Bäumepflanzer den Schritt zum Engagement. Das war 1980. Seine Truppe bestand damals aus 30 Jugendlichen zwischen 16 und 24 Jahren. Noch bevor jemand von «DDR-Friedensbewegung» sprach, arbeiteten sie schon als Umwelt- und Friedenskreis, auch mit praktischen Aktivitäten wie Ausstellungen, Informationsabenden und Baumpflanzaktionen. Für viele Öko-Gruppen, die es heute in fast allen größeren Städten gibt, bildeten die Mecklenburger das große Vorbild.

Eine Bauernkneipe auf dem Dorf, in der Nähe von Greifswald: Im Lauf des Abends kommt das Gespräch auf die täglichen Probleme im Landwirtschaftsbetrieb. Mancher der Teilnehmer der Runde kennt die Feldarbeit seit Jahrzehnten. «Früher» und «heute» heißt es bald in jedem Satz, und das «heute» kommt dabei schlecht weg. Es erscheint nicht unbedingt mehr als der große Fortschritt. Nach und nach wird deutlich, daß jeder doch ziemlich beunruhigt ist, über «das, was da so täglich abläuft».

Ein Fünfzigjähriger: «Ich kann mir nicht vorstellen, daß das so weitergehen kann mit dem irrsinnig hohen Stickstoffverbrauch, der in den letzten Jahren ständig gesteigert wurde. Und dann dieses gewaltige Gift, das überall gespritzt und gestreut wird.» Eine ehemalige Melkerin meldet sich zu Wort: «Man hört immer wieder, daß die Seen, die für den Wasserhaushalt so wichtig sind, immer mehr verkrauten. Das kann doch nur mit den Chemikalien zusammenhängen, die von den agrochemischen Zentren ausgestreut werden.» Jeder wirft Fragen auf: «Man sagt ja, wenn die Ostsee nicht bald gerettet wird, dann kann man da nicht mehr drin baden. Da soll ja auch das Aalsterben mit zusammenhängen. Es fehlt uns an wirklichen Entsorgungsanlagen für die Abwässer. Und dann die Gülle von den riesigen Viehanlagen: Die kippt man ständig auf die Felder. Die Äcker sind schon derart übersäuert, wenn sie die Gülle richtig verteilen würden, aber weil sie immer reichlicher anfällt, ist ihnen der

Weg zu weit, sie richtig auf alle Flächen zu verteilen, so bleibt sie immer in der Nähe, und das hat wieder Auswirkungen auf die Tiere, deren Fruchtbarkeit, Krankheitsanfälligkeit und Sachen, die wir noch gar nicht alle kennen.»

Immer wieder kehrt das Gespräch auf diesen Punkt zurück: daß man doch zu wenig wisse, daß zu wenig offen über die Probleme diskutiert wird. Bilanz einer Landarbeiterin: «Jeder von den Verantwortlichen macht das, so wie es für ihn kurzfristig Erfolg bringt. Hauptsache, er kann gute Zahlen vorweisen. Keiner sagt was, auch wenn alle genau sehen, welche Probleme da auf uns zukommen. Jeder sagt: Na ja, das ist der Boß, der hat einen Befehl gegeben, also machen wir's so. Und nach dem Boß kommt wieder ein anderer Boß, und jeder sagt: Nach mir die Sintflut. Vor einigen Jahren wurde uns befohlen die Gräben zuzuschütten und die Hekken abzureißen, damit mehr Ertragsfläche vorhanden ist, und jetzt sollen wir wieder welche anpflanzen. Da wird ja auch nicht auf die alten Landwirte gehört, die gelten ja als dumm, die haben ja nicht studiert.»

Der Fünfzigjährige wirkt verbittert: «Wir haben die Natur beobachtet über Jahrzehnte. Das sehen sie auch ein, sagen sie jetzt. Bloß, jetzt ist alles zu spät.» Für den Arbeiter aus dem «Bereich Instandsetzung» sieht die ganze Angelegenheit ohnehin erdrückend aus: «Wir arbeiten nur nach der Uhr, wir haben nur die Uhr vor uns. Es ist furchtbar. Wir müssen unsere Norm schaffen.»

Die Beunruhigung über die Situation, das Nachdenken über die Zukunft hat mehr Leute in der DDR erfaßt, als es die kleine Zahl der jugendlichen Aktiven vermuten läßt. Auch in der älteren Generation gibt es durchaus Sympathien für die Aktionen der jungen Leute. Das führt dann auch schon mal dazu, daß scheinbar Angepaßte aussteigen oder zumindest aktiv gegen die ökologischen Katastrophen angehen.

So erzählt eine der Teilnehmerinnen der Diskussion jenes Kneipenabends einige Monate später, daß auf ihr Drängen hin das System der Güllebeseitigung in ihrem Bereich jetzt neu überprüft wird. Kirchliche Umweltkreise kennt sie nicht, wahrscheinlich fände sie auch keine Zeit, da mitzumachen. «Aber das war endlich fällig, da mußte einer mal was sagen.»

Die Veränderung der Landwirtschaft durch Zentralisierung und Industrialisierung hat zu verheerenden ökologischen Problemen geführt, die bereits in wirtschaftliche Verluste umgeschlagen sind. Die Ertragszahlen in der DDR stagnieren. Intensive Nutzung der Böden, Massentierhaltung, Flurneugestaltung, Überdüngung, Spezialisierung oder Futtermitteleinsatz sind die Stichworte der ökologischen Diskussion auf dem Lande.

Mit Beginn der achtziger Jahre hat auch beim Staat eine gewisse Umorientierung begonnen. Mit der Wendung zum «bodenständigen Kollektivbauern» versuchte die SED eine vorsichtige Korrektur einzuleiten. Der Landarbeiter, der wie sein Kollege in der Industrie um fünf Uhr den Spaten fallen läßt, hat sich eher als Rück- denn als Fortschritt erwiesen. Er soll sich jetzt wieder daran gewöhnen, in der Nähe seines Dorfes, seines Hofes zu arbeiten, um sich wieder mit dem Boden zu identifizieren. Diese «territorialen Brigaden» brauchen jedoch echte Kompetenzen und eigenverantwortlich handelnde Leute. Daran mangelt es. Die Entfremdung von der Arbeit, die der Sozialismus verringern wollte, war bei den Betroffenen größer als je zuvor geworden. «Liebe zum Boden – Liebe zum Dorf» lautet darum eine der neuen Parolen.

Bis es soweit ist, muß sich noch vieles ändern. Die Felderflächen – so fordern es viele LPG-Bauern – müßten beispielsweise wieder verkleinert werden. Das Vieh solle wieder auf die Weide und der Humus zur Düngung verwendet werden. Mancherorts geschieht dies schon. Doch die Reformen von oben erscheinen vielen insgesamt als zu halbherzig.

Der Wuppertaler Agrarprofessor Karl Eckart schätzt die Hintergründe für die neue Politik der SED auf dem Lande als «Einsicht in die Notwendigkeit» ein: «Aufwand und Ertrag standen in keinem Verhältnis mehr zueinander. Die Partei erkannte, daß trotz ständig zunehmender Maschinenausstattung und höherem Energieaufwand die Ertragssteigerungen doch nur relativ gering waren und die Preisstützungen für Produktionsmittel der Landwirtschaft und Verbrauchersubventionen in den siebziger Jahren ständig erhöht werden mußten.»

Die Partei versucht – etwa im Fernsehen – Dorffeste, Vereinsleben oder Erntefeiern wieder als sinnvoll und nachahmenswert vorzuführen. Zu den Neuerungen gehört auch, daß nach dem LPG-Gesetz von 1982 die private Wirtschaft garantiert und unterstützt wird. Für Ehepaare gibt es einen halben Hektar Land und ab dem 1. Januar 1984 sogar noch um bis zu 70 Prozent erhöhte Aufkaufpreise für individuell gemästetes Vieh.

Ohne einen grundlegenden Bewußtseinswandel scheinen halbherzige Reformen von oben in der gegenwärtigen Situation auch nur wenig Erfolg zu bringen. Es ist fraglich, ob ohne eine grundlegend neue Politik auf dem Lande Forderungen der Staats- und Parteiführung nach bis zu 20prozentiger Steigerung der Hektarerträge – zur Versorgung der Bevölkerung mit Nahrungsmitteln aus eigener Produktion – in den nächsten Jahren überhaupt erfüllt werden können.

Anstöße zum Umdenken liefern allerdings auch in Agrarfragen nicht nur die staatlichen Fachleute. 1982 legte eine kirchliche Expertengruppe eine Landwirtschaftsstudie vor, in der eine aktuelle Bestandsaufnahme ökologischer Probleme der Land- und Forstwirtschaft in der DDR vorgenommen wird.

In bemerkenswerter Nüchternheit werden sämtliche Probleme angesprochen und Ansätze für Lösungen aufgezeigt, die sich unmittelbar realisieren lassen. Und auch für solche Umstellungen, die erst langfristig zu verwirklichen sind, finden sich Anregungen. Schließlich wird in der Studie die grundsätzliche Frage nach der Notwendigkeit des hohen Mechanisierungsgrades und der Tierkonzentration hinsichtlich Arbeitsproduktivität, Wirtschaftlichkeit und Arbeitsbedingungen gestellt. Ansonsten wird der Leser aufgefordert, selbst kritische Schlüsse zu ziehen.

Das Gefühl, daß alles so nicht mehr weitergehen kann, macht sich in Stadt und Land immer breiter. Eine ältere Leserin der Wittenberger Öko-Post hat versucht, dagegen etwas zu unternehmen: «Zu den Erfolgen unserer Eingaben- und Argumentationstätigkeit gehört die Ausweisung eines stillen Naturfleckchens als Bodendenkmal; dadurch wurde verhindert, daß ein Großbetrieb dort eine Bungalowsiedlung errichtet. Zum anderen konnten wir dazu beitragen, daß einige Mühlenfließe und Gebäude vor weiterer Erholungserschließung bewahrt werden konnten, denn damit wäre die umliegende Landschaft rettungslos verloren gewesen.»

Das alles mögen, im einzelnen betrachtet, nur kleine Schritte sein, für alle Beteiligten aber ist es ein großer Schritt heraus aus der einstigen Passivität. Dabei lösen die Bürgerinitiativen selbst bei manchen Funktionären Denkprozesse aus. Die gleiche Frau: «Man stößt dann ja doch beim Rat des Bezirks und der Stadt auf verständigungsbereite Leute, wenn man erst auf Tuchfühlung gegangen ist.»

Eigeninitiative löst bei den Staatsvertretern in der Regel jedoch den Griff zum Stasi-Telefon aus. Initiative kennt man eigentlich nur immer mit dem Zusatz «Partei-». Etwa im ständigen Wettbewerb «Schöner unsere Städte und Gemeinden», wo der Eifer dem «vorbildlichen Ortsteil der Gemeinde» gilt, den man «freiwillig» am arbeitsfreien Wochenende schafft. Da darf der Bürger zupacken, wenn alles seine Ordnung hat, wenn man weiß: Das ist ein Aufgebot zum IX., X. oder XI. Parteitag. Da riskiert kein örtlicher Funktionär etwas; da weiß er, worauf er sich einläßt.

Aber wenn eine Gruppe langhaariger Jugendlicher in grünen Parkas in seinem Büro steht und die Bitte vorträgt, zur Unterstützung ihrer Baumpflanzaktion bedürfe es eines Lastwagens des städtischen Gartenbaubetriebes, dann wird es schon schwieriger. Die Geduld der engagierten Leute ist da manchmal nur zu bewundern. Mit den auftretenden

Schwierigkeiten versuchen sie trotzdem irgendwie klarzukommen. Fehlen Bäume, nehmen sie Sträucher. Gibt es auch die nicht, wird wenigstens ein symbolischer Baum gepflanzt. Wichtig ist dann die Veranstaltung am gleichen Abend. Geht gar nichts, versuchen sie es ein halbes Jahr später. Und immer wieder geduldige Gespräche. Nein, man wolle nicht die Parteimacht untergraben, sondern nur einige Bäume pflanzen. Nein, man wolle keine grüne Partei bilden, sondern nur unter den Mitbürgern etwas Umweltbewußtsein verbreiten. Nein, man sei keine staatsfeindliche Gruppe, denn mit dem eigenen Engagement zeigten sie ja, daß ihnen am Leben in der DDR und dem Zustand der Gesellschaft durchaus viel gelegen sei.

Vertrauen gegen Mißtrauen, Verunsicherung gegen Selbstbewußtsein, altes gegen neues Denken: solche Diskussionen hat es so häufig in der DDR seit Jahren nicht gegeben. Sie gehören zu den vielleicht letzten Versuchen, das gestörte Verhältnis zwischen Regierenden und Regierten zu verändern, das innenpolitisch vergiftete Klima zu verbessern, den Riß zwischen unten und oben zu kitten. Bei der Vorbereitung mancher Ökologie-Aktionen reden die Beteiligten über mögliche Konflikte mit der Staatsmacht wie Kinder, die sich permanent verständnislosen Eltern gegenübersehen, vor denen erst jede Tat mühevoll gerechtfertigt werden muß. Da will man um Himmels willen «nicht demonstrativ» sein, Mißverständnisse heraufbeschwören oder gar mit den Gesetzen in Konflikt geraten.

Darum haben sich in den letzten Jahren so viele DDR-Bürger wie nie zuvor damit befaßt, was ihnen denn überhaupt an Rechten zusteht. Mehr denn je wissen heute darüber Bescheid, wie man korrekt eine Eingabe macht, wie man sich zum Bausoldatendienst meldet, was ein Versammlungsgesetz ist – bis in die kleinsten juristischen Einzelheiten. Nicht selten wurde dabei von den Beteiligten festgestellt, daß der gesetzlich mögliche Rahmen auch in der DDR weitaus größer ist, als bisher vermutet. Allerdings kann das Beharren auf dem Recht oder das volle Ausschöpfen aller Möglichkeiten bereits Schwierigkeiten mit sich bringen.

Eher geduldet sind dieselben Aktivitäten im Rahmen der Kirchen. Hier hoffen die örtlichen Staatsbeamten, daß die verantwortlichen kirchlichen Mitarbeiter «die Sache im Griff behalten.«Vertrauensvolle Gespräche» über bevorstehende Unternehmungen zwischen dem zuständigen Beauftragten der Abteilung Inneres und dem Pfarrer sollen zusätzliche Gewähr bieten.

Wenig Probleme bereitete darum die Aktion «Mobil ohne Auto», die an einem Maiwochenende 1981 erstmals stattfand. Einige Tausend Radler folgten landesweit dem Aufruf des kirchlichen Forschungsheimes Wittenberg, mit dem Fahrrad ins Grüne zu fahren. Natürlich war den Beteiligten klar, daß sie mit solch einer Aktion kaum was ändern können an der Autofahrgesellschaft DDR, wo der «Trabi», «Golf» oder «Datsun» zu den liebsten privaten Sachen zählt.

«Aber irgendwo muß man doch schließlich anfangen», meinte damals Christina, eine Teilnehmerin aus Leipzig. In knapp 30 Städten schwangen sich die jungen Leute aufs Rad und schlossen noch ein gemeinsames Fest oder eine Informationsveranstaltung an.

Die grünen Radler aus einem sächsischen Ort über ihre Erlebnisse: «Wir haben eine Sternfahrt mit Rädern in ein Grenzdorf am Erzgebirgskamm gemacht, wo man die Schäden durch Schwefeldioxid sehr deutlich vor Augen hat. Auch ein Pferdefuhrwerk war mit uns auf Achse, mit einem Umwelt-Plakat am Heck. Es hatte einen grünen und einen dürren Zweig an den Rädern. Bei unserem ‹Tempo› fiel uns vieles auf, was man sonst übersieht. Zum Beispiel die durch Tausalz abgestorbenen Straßenbäume.»

In Dessau kamen die 80 Teilnehmer selbst aus den kleinsten Dörfern der Umgebung: Salzfurtkapellen, Quellendorf, Raguhn und Altjeßnitz waren vertreten. Das «Mobil ohne Auto»-Motto reichte ihnen nicht aus. Sie verlangten eine positive Bestimmung und proklamierten kurzerhand die «Reise nach Andersleben». Sie fuhren mit geschmückten Rädern an einem Tag durch alle Dörfer, in jedem wurde etwas anderes geboten. In Salzfurtkapellen gab es zunächst ein gemeinsames «alternatives Mittagsmahl». Anschließend wurden Plakate gemalt, «wie sich jeder Andersleben vorstellt». Eine Liederstube lud ein, in Gruppenspielen ging es darum, daß «sich jeder selbst einbringen muß». Bei der letzten Station des Tages erwartete sie eine Ausstellung, die von der örtlichen Jungen Gemeinde zusammengetragen worden war. Gezeigt wurde, wie sich Quellendorf in 100 Jahren verändert hat.

Selbst im erzkatholischen Eichsfeld kamen 21 junge Leute zwischen 15 und 25 Jahren zusammen, um zum «Galgenhügel» bei Kreuzebra zu ziehen und sich dort einen Vortrag über Ökologie anzuhören. Das Thema reicht mittlerweile auch in die katholische Kirche hinein. Der schon in Friedensfragen hervorgetretene «Aktionskreis Halle», in dem evangelische und katholische Interessierte zusammenarbeiten, beschäftigt sich ebenfalls mit Themen wie «Kritik der Bedürfnisse – alternatives Denken und Handeln» oder «Ökologisches Bewußtsein – Alternativer Lebensstil». Die katholischen Jugendlichen hatten sich den anderen zur Fahrt auf den «Galgenhügel» spontan angeschlossen. Sie bedauerten, daß in ihrer Kirche «insgesamt noch so sehr wenig läuft». Bei der nächsten Fahrt wollen sie aber doppelt so viele mitbringen.

In Leipzig fuhren im Juni 1983 über 400 Radler los. Die Öko-Gruppe hatte die Fahrt sogar vorher bei der Polizei als religiöse Veranstaltung angemeldet – denn es gab Gottesdienste in zwei auseinanderliegenden Kirchen, und die Teilnehmer benutzten zwischen beiden Orten das Rad. Die Gruppe betrachtete die Anmeldung als «vertrauensbildende Maßnahme». Sie hat erreicht, daß es nicht einen einzigen Zwischenfall mit der Polizei gab. «Das ist eigentlich auch das, was wir wollen», meint einer von ihnen, «wir sind bemüht, kritisch-konstruktiv zu sein.»

Einige zehntausend junge Leute versuchen heute einen anderen Lebensweg einzuschlagen, bei dem nicht mehr materielle, sondern neue soziale Werte im Vordergrund stehen. Die Zerstörung der Umwelt, die sich in der DDR so drastisch zeigt, wird als eine Folge des traditionellen Lebensstils angesehen. Den grünen Radlern oder Bäumepflanzern geht es also um mehr als Naturschutz im alten Sinne, den haben vor ihnen schon Generationen von Förstern vollbracht. Kleine Schutzmaßnahmen könnten an der immer schneller um sich greifenden Zerstörung kaum noch etwas bewirken.

Verglichen mit 1979 hat die Arbeit der Öko-Gruppen heute eine ganz andere Qualität. Baumpflanzaktionen gehören zwar noch dazu, doch die kontinuierliche Arbeit ist sehr viel breiter geworden. Die Leipziger Gruppe hat in den letzten zwei Jahren rund 50 Gemeindeabende abgehalten, auf der Grundprobleme angesprochen wurden – «Ökologie für Anfänger» sozusagen. Außerdem gibt es zahlreiche andere Aktivitäten: Eine LPG will man davon abbringen, jedes Jahr erneut eine Wiese umzupflügen, auf der seltene Orchideen stehen; wegen des schlechten Trinkwassers in einem Stadtteil wurden Eingaben geschrieben, woraufhin sich herumsprach, daß ab sofort in der HO-Kaufhalle Mineralwasser zur Verfügung steht, das man den Kleinkindern anstelle des Leitungswassers verabreichen könne; ein Teil der Gruppe arbeitet am Projekt «Leinestraße», wo eine ehemalige Mülldeponie wieder zur Grünanlage umgewandelt werden soll; andere Mitglieder der Öko-Gruppe arbeiten an einer Studie, die Radfahrwege in Leipzig auszubauen; wieder andere richten eine kleine Umweltbibliothek ein, stellen Fotodokumentationen zusammen oder entwerfen Plakate.

Seit den ersten Initiativen zu Beginn der achtziger Jahre hat sich in der DDR mittlerweile parallel zur Friedensbewegung eine grüne Bewegung – keine grüne Partei – gebildet. Von «Öko-Gruppen» dürfen inzwischen sogar die Kirchenzeitungen schreiben, und wenn sich Freunde in Magdeburg zufällig mal auf einer Fete treffen, dann wird – mit einem Augenzwinkern, – schon mal «der Chef der Grünen aus Leipzig» vorgestellt.

Eine Art landesweites Jahrestreffen findet von Seiten der Kirche jährlich im Juli in Potsdam statt. 700 Ökos traten 1983 in die Pedale, um bei der DDR-Radsternfahrt auf die einstige Residenz des Alten Fritz mit dabeizusein. Drei Tage lang versuchten sie sich im «alternativen Leben» miteinander, hörten Vorträge, besuchten Arbeitsgruppen und beteiligten sich an praktischen Arbeitseinsätzen: Das reichte vom Müll Einsammeln im umliegenden Gelände, Bauschutt Wegräumen, Behinderte Spazierenfahren bis zum säckeweisen Einsammeln von Lindenblüten, aus denen für alle Tee zubereitet wurde.

Auf einem «Markt der Möglichkeiten» konnte man sich bei einer «alternativen Kräuterapotheke» über die verschiedensten Heilkräuter informieren. Andere Stände machten mit Wildfrüchten oder alternativem Kochen bekannt.

In einer hektographierten Rezeptsammlung mit dem Titel «Anders essen macht Spaß» wurden Vorschläge für fleischarme Kost und umweltfreundliche Ernährung angeboten. «Linsen mit Breitwegerich» werden da empfohlen, ebenso «Kohlrabischnitzel» und «Brennesseleierkuchen». Ferner gibt es Tips zur Gewinnung von Birkensaft und zur Herstellung von «Selterskuchen». Das alternative Kochbuch enthält auch einen «Fastenbrief», der die alte Sitte des Fastens neu beleben und «Elemente eines einfacheren Lebensstils auszuprobieren» anregt.

Damit soll die «Freiheit von Konsumzwang» eingeübt und gezeigt werden, daß man «auch im Mangel leben könne». Auf die Versorgungsschwierigkeiten in der DDR bezogen, wird statt Verbitterung, Ironie und Resignation «Verständnis, Solidarität und Neubesinnung» empfohlen.

Die alternative Rezeptsammlung soll ein kleiner Beitrag zur Veränderung des Lebensstils sein. In den Arbeitsgruppen standen kompetente Fachleute zur Verfügung. Die Themen: Waldsterben, Welternährungsprobleme, Landwirtschaft, Wärmedämmung.

Noch wichtiger als die sonst raren Informationen über Ökologie war der Erfahrungsaustausch der Gruppen untereinander, die Berichte von Erfolgen und Schwierigkeiten. Nach der dritten, fünften oder siebten Baumpflanzaktion ist bei einigen von ihnen die Luft raus. Wie soll es weitergehen?

Die «Gruppe Umweltschutz Leipzig» war im Juni 1983 ein ganzes Wochenende in Klausur gegangen, um Möglichkeiten und Grenzen ihrer Arbeit zu beraten. Dabei beteiligten sich 80 Leute an einer Pflegeaktion für junge Bäume, und zur sonntäglichen Radtour kamen sogar 350. Fazit eines Teilnehmers: «Immerhin kam man nicht umhin, die begrenzten Arbeitsmöglichkeiten kirchlicher Gruppen zu erkennen. Vielleicht bringt uns die geplante Zusammenarbeit mit dem Kulturbund der DDR die erhofften Fortschritte.»

Die Leipziger hatten schon öfter mit den Leuten vom Kulturbund Berührung. Der Versuch, ein gemeinsames Wochenende zu gestalten, war nicht leicht. Zuerst hieß es, die kirchliche Gruppe könnte offiziell bei der Kulturbundveranstaltung auftreten, ihre Arbeit vorstellen und ihre Meinung äußern. So etwas hatte es noch nie gegeben. Kurz vor dem Wochenende kam es jedoch zu Schwierigkeiten. Plötzlich gab es Eintrittskarten, und an die war nur schwer ranzukommen. Und von Redeerlaubnis für die Gruppe wollte auch kein Kulturfreund mehr etwas wissen.

So war die Gruppe nur als Zuhörer geduldet, konnte Fragen stellen und sagen, woher sie käme. «Mehr war für uns nicht drin», berichtet ein Mädchen.

In einer der Arbeitsgruppen befaßte man sich mit der Begrünung verschiedener Stadtteile in Leipzig. Es gibt derzeit das Problem, daß einige Grünflächen einfach abgeholzt werden sollen, um die darunterliegende Braunkohle abzubauen. Nach einem fruchtlosen Disput darüber, was von beidem wichtiger sei, brachten Mitglieder der Öko-Gruppe ganz ungewohnte Gedanken in die Runde ein: Man sollte doch mal gemeinsam versuchen, neue Lebensideale aufzustellen, dann hätte man vielleicht auch das Problem mit der Energie nicht in dem Maße.

Auf solche Fragen nach Bewußtseinsveränderung sprangen aber nur die jungen Leute an, die Vertreter der älteren

Generation blockten völlig ab. Eine ältere Frau aus dem Kulturbund appellierte an das Verständnis der Jugend für ihre Generation, die den Sozialismus unter schwersten Bedingungen aufgebaut habe. Jeder müsse doch akzeptieren, daß die Befriedigung aller Bedürfnisse das maximale Ziel einer sozialistischen Gesellschaftsordnung sein muß.

Ein Mitglied der Leipziger Öko-Gruppe: «Wenn man sich mit ernsthaften Marxisten unterhält, merkt man bald, die halten allein die Planerfüllung auch nicht für das Gelbe vom Ei. Doch die SED-Leute pflegen sich nicht zum Gespräch zu stellen. Da kommt praktisch nie was zustande. FDJler sind wir ja fast alle, aber wenn man mit einem unserer Funktionäre spricht, da heißt es dann, das seien alles Randprobleme, die in der sozialistischen Entwicklung eben in Kauf genommen werden müssen, die würden schon noch bewältigt. Da ist es schon sinnvoller, sich mit Texten, die im theoretischen Parteiorgan *Einheit* erscheinen, auseinanderzusetzen. Etwa wenn es dort um Fragen der Moral oder des Wirtschaftswachstums geht. Da wird eine Meinung veröffentlicht, die zwar nicht die unsrige ist, aber die ist wenigstens vernünftig dargestellt, und man kann sich mit ihr auseinandersetzen.»

Auch in der neuen DDR-Ökologiebewegung will man sich also nicht abkapseln, nicht gänzlich außerhalb von Staat und Gesellschaft stellen. Der Raum für selbständige Aktivitäten ist ohnehin sehr klein, die Höhepunkte, wie das Jahrestreffen in Potsdam, schnell vorüber. «Alternative Drei-Tage-Inseln sind zwar für uns selber ganz wichtig, reichen aber nicht aus, um wirklich was zu verändern», meint eine Teilnehmerin des Potsdamer Umwelt-Treffens. In ihrer sächsischen Kleinstadt wird für sie und ihre kleine Gruppe das Überzeugungs-Geschäft wieder mühselig sein.

Spaß contra Beton ist die Handlungsachse eines neuen Films, der zwei Jahre unter Verschluß gehalten wurde und nun in den volkseigenen Kinos gezeigt wird: «Insel der Schwäne» – Regie Hermann Zschoche, Szenarium Ulrich Plenzdorf, gedreht bei der DDR-Filmgesellschaft DEFA.

Der Film war nicht durch die Abnahme gekommen, ein Lied, gesungen von Kindern des Ost-Berliner Neubauviertels Marzahn («Das kommt davon, das kommt davon, jetzt hab'n wir den Beton»), mußte herausgeschnitten werden. Doch im wesentlichen blieb die Geschichte eines 13 Jahre alten Jungen erhalten, der mit seiner Familie vom Land ins Stadthochhaus zieht.

Das Betonviertel Marzahn kommt dabei nicht gut weg. Die Kinder und Jugendlichen, die in dem Film beschrieben werden, wollen sich nicht mehr wie selbstverständlich anpassen: Sie schleudern den Planierraupen, die ihren Spielplatz plattwalzen wollen, Brocken entgegen. An das Hausmitteilungsbrett pappen sie, ohne Genehmigung, ein Plakat: «Wir wollen keinen Beton, sondern Tunnel und kleine Wiesen.» Als sie zum Schluß nicht den versprochenen neuen Abenteuerspielplatz, sondern eine zubetonierte Fläche vorfinden, beginnen sie ihr Werk der Zerstörung.

Der Film läuft weiter in der DDR – und hat Kontroversen ausgelöst: Das SED-Zentralorgan *Neues Deutschland* nannte ihn «einen Kahlschlag gegen die typischen sozialistischen Züge unseres Lebens». Die Ost-Berliner Zeitung *Der Morgen* dagegen war voll des Lobes für die «Insel der Schwäne». Bei einer Vorführung in Leipzig spalteten sich die Besucher des FDJ-Klubs in zwei Lager. Die einen fanden «noch alles untertrieben», denn es sei «ja wohl noch viel schlimmer in solchen Vierteln». Die anderen bezichtigten den Film der Einseitigkeit.

In mehreren DDR-Zeitungen erschienen, einen Monat nach Anlaufen des Films, wie auf Bestellung, ganzseitige Reportagen über die Vorzüge des Wohnens in Neubauvierteln. Das FDJ-Blatt *Junge Welt* druckte ein Dutzend Leserbriefe ab mit Vorwürfen wie: «Der Film wirft mit Betonbatzen nach uns! Warum erfindet die DEFA eine kaputte Welt? Neubauwohnungen sind doch prima! Man muß doch über alles sprechen, nicht Plakate malen oder irgend etwas kaputtmachen. Wohin soll denn das führen?» Wohin das führt, hat ein Siebzehnjähriger für einen Plakatwettbewerb zum Thema Umwelt im thüringischen Gotha beschrieben. Er schlägt den volkseigenen Betonwerken in Schönheidenau ein ironisches Alternativprogramm vor: Einfach alles zubetonieren, dann ist alles wenigstens schön ordentlich.

Schön ordentlich, so wollen es die Erwachsenen haben. Sie pochen auf ihren Lebensstandard im Wohlstandssozialismus, sie führen den aussichtslosen Konsumwettlauf mit dem Westen immer weiter. Jahrelang hat ihnen die SED jede Eigeninitiative ausgetrieben – Staat und Partei werden's schon richten.

Freiwilliges gesellschaftliches Engagement in dieser Generation ist selten geworden. Anecken erscheint zu riskant, Anpassung an Behörden, Institutionen und Organisationen sichert das friedliche Leben am besten. Dabei könnte Bürgerprotest von unten gegen Maßnahmen der mittleren und unteren Verwaltungsebenen produktiv und damit auch für SED-Funktionäre interessant sein. «Ohne Berücksichtigung der neuen Impulse von unten», meint ein zweiundvierzigjähriger Uni-Assistent im Gespräch, «hat die traditionelle SED-Politik no future.»

Die DDR hat Bürgerbeteiligung durch verschiedene Gesetze ermöglicht, die SED läßt kaum eine Gelegenheit ungenutzt, die sozialistische Demokratie als der kapitalistischen weitaus überlegen darzustellen. Doch dort, wo am Schreibtisch die Mitarbeit sogenannter bürgerlicher Massenorganisationen eingeplant wird, da wird sie auch erstickt. Spontaneität und Eigeninitiative geraten schnell in Verdacht – der Dialog mit der Jugend findet dann meist als Verhör statt.

Dennoch entwickeln vor allem junge Leute immer mehr Sinn für Mitsprache, die staatlichen Instanzen merken es an einer – im Vergleich zu den siebziger Jahren – wahren Flut von Eingaben. Eine Mitarbeiterin im Ost-Berliner Umwelt-Ministerium: «Es mußten sogar neue Sachbearbeiter eingestellt werden.» Der Ost-Berliner Professor Hanfried Müller fordert die Generation, die der heutigen DDR ihr Gesicht gegeben hat, zu selbstkritischer Reflexion auf: «Haben wir vielleicht manchen unter unserer Jugend im Lernen überfor-

71

dert und im Denken unterfordert, um den Preis, daß er nicht verstehen konnte, was er gelernt hatte? Haben wir einigen von ihnen materiell zu viel geboten und ideell zu wenig, so daß sie nun über ‹Wohlstand› klagen und zugleich Mangelerscheinungen an Bewußtsein und Charakter zeigen? Haben wir selbst zuweilen zu früh gemeint, nach unseren Kämpfen nun einmal Ruhe und Komfort verdient zu haben, uns mit dem Erreichten begnügt und so ein falsches Beispiel gegeben?» Wenn diese Fragen weiter verdränge würden, so der Professor, dann führe das unweigerlich «zum eigenen Schaden».

Die meisten Genossen in Partei- und Staatsführung verdrängen lieber, sie möchten sich die unzufriedenen Geister am liebsten vom Halse schaffen. Doch so einfach ist das nicht mehr. Erstens trifft die Wertekrise die gesamte Gesellschaft – sie hat, je nachdem, wen sie aus welcher Schicht in welcher Verfassung, Gemüts- und Temperamentslage erfaßt, die verschiedenartigsten Auswirkungen: vom Ausreiseantrag über Alkoholismus zum Aussteigertum. Zweitens ergreift sie immer mehr Leute – das exemplarische Herausgreifen einzelner, Verhaftungen und Abschiebungen halten den Rest kaum ab, dennoch aktiv zu werden. Der Rückgriff auf Repressionen wie in den fünfziger und sechziger Jahren taugt nicht mehr. Die Abschreckung hat auch hier als Mittel der Politik längst versagt.

4

«Die da oben sind der Untergrund»

Die Kulturpolitik

Polen, Homosexualität, Westbesuch – kein gewöhnlicher DDR-Bürger würde sich in aller Öffentlichkeit über Themen wie diese äußern. Sie sind tabu.

Sobald es literarisch wird, sieht die Sache anders aus.

Zum Jahresbeginn 1983 führte die DDR-Zeitschrift *Weimarer Beiträge* die neueste Literaturproduktion der Ost-Republik auf. Die Bilanz weist alle Tabuthemen aus:

▷ Eine Kurzgeschichte berichtet über das «komplizierte und auch historisch belastete Verhältnis» DDR–Polen;

▷ eine andere schildert Peinlichkeit und Kälte, wenn Westbesuch kommt;

▷ die dritte Erzählung handelt von «Haß und Wut» eines brutalen Hauswirts auf einen schwulen Mieter.

Die Rezensentin dieser drei Texte junger DDR-Autoren sieht den Konflikt um den schwulen Hausbewohner gar als «Symbol für Faschismus und Antifaschismus»; auch in der sozialistischen Gesellschaft gebe es Aggressivität gegen jene, «deren Leben scheinbar ‹andersartig› verläuft».

In den insgesamt 42 rezensierten Texten kommt so ziemlich alles vor, was normalerweise nur im Vertrauen besprochen wird: Neben den drei Tabuthemen noch Republikflucht, das Schicksal von unehelichen Kindern sowjetischer Besatzungssoldaten sowie das Bild des häßlichen Deutschen auch im sozialistischen Ausland.

Vor allem die Texte jüngerer Autoren zeigen darüber hinaus die Leiden und Ängste im heutigen Deutschland – Ost wie West. Sie handeln von

▷ dem «Mann ohne Leidenschaften», einem jämmerlich

mittelmäßigen Mann, der im Beruf und in der Liebe seiner Männlichkeit verlustig gegangen ist;

▷ dem «ziellosen Ausbruch» aus dem entnervenden Großstadtleben in die «naturwüchsigen zwischenmenschlichen Beziehungen» auf dem Dorf;

▷ den Bedrohungen der Natur, die «ratlos und ohnmächtig» machen und den Dichter auch zur «alternativ-illusionären Metapher einer Utopie in Grün» greifen lassen sowie

▷ der kommunistischen Zukunft als Orwellscher Alptraum, in dem jeder «ständiger Ortung und Aufsicht» ausgesetzt ist und wo eine «perfekte technische Welt» selbst den Tod beherrscht.

Klaus Kändler, einer der Rezensenten in den *Weimarer Beiträgen,* schreibt über die in den Sozialismus hineingeborenen jüngeren DDR-Autoren, sie zeichne eine «naive Selbstverständlichkeit» aus, mit der das Gesellschaftssystem als gegeben betrachtet werde. Aus dieser Haltung heraus behandelten sie «Widersprüche», von deren Lösung jeder «Fortschritt» abhinge.

Solche Definitionen kranken daran, daß das von der jungen Literatur thematisierte neue Gefühl für die eigene Person und die Gegenwart in alte Begriffe gepackt wird. Was soll ein junger Schriftsteller, der Zukunftsängste statt Lebensaufgaben hat, mit konventionellen Formeln wie «Lösen von Widersprüchen» und «Fortschritt» anfangen? Die Zäsur in der DDR-Literatur der siebziger Jahre, die Kändler sieht, trennt offenbar auch ihn von dem jungen Autor, den er bespricht.

Angesichts des literarischen Defaitismus wird gelegentlich die moralische Aufrüstung wieder hervorgeholt. Unter den DDR-Literaturwissenschaftlern geht die Frage um, ob der sozialistische Realismus überhaupt noch real existiere. Hartmut König vom Zentralrat der Freien Deutschen Jugend (FDJ) drohte auf der Kulturkonferenz seines Verbandes im Oktober 1982 in Leipzig: «Für Charakterlose ist in unserem Leben kein Platz!»

Das ging gegen Heiner Müller, Rolf Schneider und andere Autoren. FDJ-Chef Egon Krenz setzte noch eins drauf: «keinen Ton, kein Blatt Papier, keinen Pinselstrich Farbe» werde die freie Staatsjugend für pluralistisches und fatalistisches Zeugs rausrücken. König – er kommt aus der Liedermacherbewegung – mühte sich, den auf der Kulturkonferenz versammelten Jugendfreunden den Elan der DDR-Gründerjahre nahezubringen. Die Literatur solle sich der «suchenden, Idealen aufgeschlossenen Jugend» zuwenden – so zitierte er den früheren FDJ-Chef Erich Honecker aus dem Jahre 1948.

Zur Kulturkonferenz war gerade die neueste Ausgabe der Vierteljahreszeitschrift *Temperamente. Blätter für junge Literatur* erschienen. Dort stand das Kontrastprogramm zur Konferenz. Ein pfiffiger Straßenbahntrickser hatte tief in seinen gesetzeswidrigen Alltag gegriffen und eine Geschichte daraus gemacht, in der er bekennt: «Ich bin der Schwarzfahrer. Mein System ist einfach und das Ergebnis dauernden Ausweichens.» Ein anderer junger Literat hatte gedichtet: «In der Dunkelkammer / nehme ich mir das Recht / das Kleinere riesig zu machen / und das Große dem Menschlichen näher.»

Der Sektor Jugendkultur soll von den offiziellen Gremien moralisch aufgerichtet werden – gleichzeitig ist er der Tummelplatz schräger Dichter und kulturpessimistischer junger Talente. Dieser Zustand dauert an, trotz gelegentlicher herber Ausfälle von oben. Irgendwie greifen die Ausrichtungsversuche nicht; sie erreichen bestenfalls einen zeitweiligen Rückzug in verinnerlichte Lyrik und Prosa. Dieses Gezeitenschema drückt sich in den verschiedenen *Temperamente*-Heften aus oder in der Verlagspolitik. Aber zu keinem Zeitpunkt kommen die Kulturfunktionäre ihrem Ziel nahe, die Jungen sollten wieder so dichten, wie die Alten sungen.

Zu verschieden sind die Erfahrungen der Aufbaugeneration und der in den Sozialismus Hineingeborenen, zu antiquiert die Schubkästen der etablierten Kultur gegenüber dem Lebensgefühl der heute Zwanzig- bis Dreißigjährigen.

Es zeichnet sich ein folgenschwerer Wandel ab: Die Traditionalisten können nicht mehr uneingeschränkt festlegen, was die DDR eigentlich ist. Aber ein Monopol mit beschränkter Reichweite ist eines Tages kein Monopol mehr. Ein Kunstprofessor und SED-Genosse: «Was heißt hier ‹unsere Linie in der Kulturpolitik›? Wir haben zwei, drei, viele kulturpolitische Linien!»

Ganz ähnliche Grabenkämpfe laufen beim Film ab. Hubert Vater ist Hauptmechaniker im VEB Kraftverkehr Erfurt. Zusammen mit einigen Kollegen debattiert er seit über zehn Jahren im örtlichen Kinoklub mit. Angesichts der neueren DDR-Spielfilmproduktion geriet der Mechaniker in Wut. Er setzte einen Leserbrief an die Parteizeitung *Neues Deutschland* auf, den das Blatt am 17. November 1981 auf Seite zwei brachte.

Vater vermißt «diese kämpferische Tradition, das bewußte Parteiergreifen für den Sozialismus», das die alten DEFA-Filme ausgezeichnet habe. Statt dessen würden heutzutage im Kino «belanglose Problemchen» aufgetischt und Stoffe vom «Rande» der Gesellschaft vorgeführt. Vaters Rezeptur: Das «Titanische der Leistung bewußt machen», den «Blick nach vorn» richten, «starke Charaktere» von Großbaustellen und Industriekombinaten abgucken.

Vor fünfzehn Jahren noch wäre ein solcher Leserbrief von Proletarierhand der Auftakt zu einer rigorosen Ausrichtungskampagne gewesen. Heute wirkt die Schelte seltsam altväterlich und hilflos. Da trauert ein Altgenosse «jenen frühen Jahren» nach und versteht nicht, warum junge Zeitgenossen die eigenhändig mitgebaute kleine Welt so ungemütlich finden, warum heutige DDR-Filmemacher nicht mehr so geradeaus denken wie ihre Vorgänger in den fünfziger Jahren, als der Frontverlauf noch klar und das Ziel noch leuchtend war.

Bei der Leipziger Dokumentar- und Kurzfilmwoche 1981, die unmittelbar nach Erscheinen des Leserbriefes begann, tauchte der «Vaterbrief» hin und wieder als Bonmot zwischen zwei Wodkas auf. Die gezeigten Dokumentarstreifen waren nicht minder kontrasthaltig als die DDR-Spiel-filmproduktion. Das Spektrum reichte vom Porträt eines braven Offiziers mit Frau und Dackel (Militärfilmstudio) bis zur sozialkritischen Industriereportage, in der junge Arbeiterinnen eines Wittstocker Textilbetriebes ihre trostlose Situation auf die Formel bringen: «Na, ich lebe halt so auf die Rente zu.»

An den West-Berliner Filmfestspielen ein Vierteljahr später beteiligte sich die DDR unter anderem mit Hermann Zschoches «Bürgschaft für ein Jahr»: junge Frau im Prenzlauer-Berg-Milieu hängt durch, trinkt, wechselt häufig ihre Männer, vernachlässigt ihre Kinder und erlebt die Anteilnahme einer christlichen Freundin. Eine Geschichte so recht vom Rande der Gesellschaft. In der Info-Schau der Berlinale präsentierte die DDR zudem einen Film («Die Beunruhigung») über eine Frau, die eventuell Krebs hat und daraufhin ihr bisheriges angepaßtes Leben ändert.

Das DDR-Fernsehen brachte gar einen Film, der die stets höflich übergangene Schizophrenie zwischen öffentlicher und privater Meinung, zwischen äußerlicher Anpassung und innerer Teilnahmslosigkeit offen thematisiert: «Die Kündigung». Noch Tage nach der Sendung war der Film überall in der Republik Stoff für Gespräche wie sonst nur Krimis oder Sportsendungen.

«Die Kündigung» behandelt das geistige Doppelleben von DDR-Schülern und den Unwillen der Schulbürokratie, sich mit ihnen auseinanderzusetzen. Zwei Lehrerinnen spielen die Hauptrolle. Die eine (Ingrid Thiele) ist jung, ehrgeizig, pflichtbewußt, linientreu, hat ein hervorragendes Diplom und einige Ehrentitel. Alles in allem die mustergültige sozialistische Pädagogin. Die andere (Anita Wegener), etwas älter, hat schon jahrelang keinen Unterricht mehr erteilt und arbeitet bei der Volksbildung, für die sie routinemäßig bei Unterrichtsstunden hospitieren muß.

Nach einer Stunde der jungen Ingrid Thiele unterhalten sich die beiden. Anita Wegener hat im Unterricht die heruntergeleierten Antworten der Schüler («Der Dichter will uns damit sagen, daß wir uns aktiv für die Sache des Kommunismus einsetzen») beobachtet und ist nachdenklich geworden: «Ihr Unterricht ist perfekt, Frau Thiele, aber macht es Sie nicht unruhig? Das ist alles so austauschbar, wer welche Antworten gibt.» Sie bittet darum, die nächste Stunde erteilen zu dürfen.

Der Mitarbeiter bei der Volksbildung ist fassungslos: aber das sei doch eine unserer besten Lehrerinnen. Gewiß, meint Frau Wegener, ihre Fragen und die Antworten der Schüler seien sachlich korrekt gewesen, «ja, aber reicht das denn?».

Als sie die Klasse am nächsten Morgen damit überrascht, daß sie nun die Stunde machen will, kommt allgemeines Gemaule auf: Man wolle kein Gegenstand für ein Experiment sein, was denn bei den Aufsätzen über das Gedicht gefehlt habe, «es ist doch alles drin gewesen» und überhaupt, was das denn alles solle, gerade jetzt, wo es doch auf die Prüfungen zugehe.

Die Wegener sieht, daß eine Stunde nicht reichen wird und bittet um weitere. Die junge, perfekte Lehrerin sitzt in der letzten Bank und gerät zunehmend in Zweifel. «Wie oft kommt in ihrem Text eigentlich das Wort ‹ich› vor?» fragt die Wegener eine Schülerin. Die weicht aus: «Weil das, was ich geschrieben habe, eigentlich für alle gilt», ist ihre Antwort. «Was, Sie schreiben alle dasselbe?»

Frau Wegener versucht zu erklären, daß doch gerade ein Gedicht etwas Einzigartiges sei, daß es Vielfalt, Sehnsüchte und Veränderbarkeit bedeute. Ein Schüler: «Alles schön und gut, aber bei der Prüfung werden nur Fakten verlangt, keine eigenen Gedanken.»

Auf dem Flur spricht sie einen Schüler, der ihr besonders aufgefallen ist, noch einmal an. Warum er denn nichts gesagt habe? Holger – Nickelbrille, Ohrring, der Typ mit der besonderen Stellung in seiner Klasse – wehrt sich:

> «Sie werfen mir vor, was alle machen?»
> «Ich werfe Ihnen vor, was Sie machen!»
> «War doch schon immer so. In der Schule gilt das eine und draußen das andere.»

«Aha, und das halten Sie für richtig?»

«Jedenfalls weiß man wenigstens, woran man ist. Sagen, was man wirklich meint, kann man sowieso erst später, wenn man was geworden ist.»

«Glauben Sie wirklich, man kann sich Offenheit und Ehrlichkeit für später aufheben? Man hat sich schnell daran gewöhnt, zu verschweigen, was man sagen will.»

Was diese Lehrerin auslöst, kommt erst Wochen später raus. Holgers Vater sorgt sich, sein Sohn sei so komisch geworden, kritisiere Frau Thiele, weil die nur Fakten erzähle, alles langweilig und trocken, «sie erziehe zur Phrasendrescherei – wie aus der Zeitung, nichts Eigenes.» Der Junge beschäftige sich mit allem Möglichen, klagt der Vater, nur nicht mit dem Lehrplan.

Holger stellt seine Fragen nach der persönlichen Meinung der Lehrerin jetzt auch im Unterricht. Die schweigt und muß sich anhören: «Frau Wegener hätte sich bestimmt nicht gedrückt.» Die Mehrheit der Klasse ist gegen ihn, will lieber im alten Trott weitermachen. Die Unruhe bleibt aber, bis es der jungen Lehrerin zuviel wird – sie kündigt.

Der Direktor tobt, die Volksbildung tobt. Frau Wegener, der man Unruhestiftung vorwirft, entschließt sich, den Unterricht zu übernehmen und dafür zu sorgen, daß Frau Thiele zurückkommt. Die treibt sie schließlich auf einer Baustelle auf. Ihre Überredungsversuche scheitern jedoch. So unterrichtet sie erstmal weiter. Die Klasse gewinnt Spaß am neuen Stil, besonders Holger. Nach Wochen schreitet der Direktor ein. Er kann kaum ertragen, daß die Wegener die Pausen auf dem Hof statt im Lehrerzimmer verbringt, klagt über die nachlassende Disziplin: «Was du willst, hält der Praxis nicht stand.»

Sie darauf: «Ich habe mich gefürchtet vor diesen gleichförmigen Antworten, vor diesen gleichgültigen Gesichtern. Aber sie sind nicht so. Man muß sie nur aufmachen und ihnen nicht selber was vormachen.»

Ihr Elan läßt unter dem Druck von oben nach. Sie läßt die Schüler mehr und mehr büffeln. Holger eines Tages: «Warum reißen Sie eigentlich wieder alles ein?» Ihre Antwort befriedigt ihn nicht: «Man hat nicht jeden Tag die gleiche Kraft.»

Holger besucht die junge Lehrerin auf dem Bau. Das ist der Auslöser für ihre Rückkehr. Sie steht wieder vor ihrer Klasse und lächelt die Schüler erstmals etwas an. Frau Wegener zieht sich wortlos zurück, der Direktor hat nur Vorwürfe gegen sie vorzubringen: «Ich habe in dieser Angelegenheit viel Zeit und Kraft verloren.» Sie: «Ich habe eigentlich viel Kraft aus dieser Sache gewonnen.» Er: «Das wird noch ein Nachspiel haben!» Sie: «Das hoffe ich.»

Ein Nachspiel hatte auch der Film «Insel der Schwäne» von Ulrich Plenzdorf und Hermann Zschoche. Das FDJ-Blatt *Junge Welt* entfachte nach seiner Premiere im April 1983 eine Leserbriefkampagne gegen den Film und die DEFA. In diesem Fall hatte jedoch der für die Konterkampagne verantwortliche Genosse Pech: Er war zu weit gegangen und handelte sich ein Parteiverfahren ein.

Alles spricht dafür, daß Staat und Partei auch in Zukunft mit unbequemen Filmen dieser Art leben müssen. Ein Zurückdrehen der Kulturgeschichte auf die Stunde Null des «neuen Deutschland» ist die nostalgische Illusion eines Teils der Funktionäre.

Daß viele DEFA-Filme seit den späten siebziger Jahren dem sozialistischen Alltag kritisch-realistisch gegenüberstehen, liegt auch an der in der DDR völlig fehlenden filmischen Subkultur. Es gibt weder Off-Kinos noch eine freie Filmer- oder Video-Szene. Alle Leute und Ideen sammeln sich bei den staatlichen Monopolfirmen, der Babelsberger DEFA und dem Fernsehen. Die in den siebziger Jahren von der SED selbst eingeleitete Orientierung auf DDR-Alltag und einzelne Persönlichkeiten hat – entgegen den ideologischen Absichten – die Herausbildung des kritischen Realismus beim Film und in der Literatur begünstigt.

Außerhalb der kulturellen Institutionen und unbeachtet von der etablierten Kulturkritik wirkt jene Minderheit, die den Ausbruch aus der Konformität am kompromißlosesten versucht: Die Szene trifft sich in Privatwohnungen, Kellern oder Dachkammern zur Vernissage – zur Kenntnis genommen nur von der allzeit bereiten Staatssicherheit.

Bei der Eröffnung einer privat organisierten Ausstellung begrüßen Künstler ihre Gäste so: «Ich sehe einen Haufen vom Staat gestützter Maler, ich sehe sie gelangweilt Programme absolvieren, ich sehe einen Standard, der sich so erhält. Ich sehe, wie sie sich sozialisieren für den Ohrring einer Ideologie. Die Kunst muß die Kunst verlassen, sonst ist sie archivarisch. Große Bilder können kein zweites Mal gemalt werden, sie können als solches kein Leitbild sein. Ihr Atem muß übersetzt werden, dies ist die einzige Arbeit am Objekt. Nicht der Formel folgen. Sie ist Leichnam der Kunstgeschichte. Was bleibt, ist der Moment oder der Zufall, ein Schwarz gegen ein Weiß zu setzen, oder umgekehrt.»

Die Zeiten, in denen man bei ungarischem Rotwein existentialistisch fröstelte, sind vorbei, also geht die Künstlerrede weiter: «Dieses monochrom gutfunktionierende Wesen wird in uns nach Bildern verlangen, nach Farben. Wir werden uns an die Grenze des Kitsches bewegen, um dieses Grau zu beleben.» Und: «Ich weiß nicht, was Gesellschaft braucht, vielmehr was ich brauche und meine Freunde, denn wir leben und spiegeln diese Gesellschaft wider.»

Und man zitiert den ehemaligen Dresdner Kunstdozenten und Vater der «neuen wilden Maler», Ralf Winkler, der gesagt hat: «Die da oben sind der Untergrund.»

Einige der Bilder, die auf einer solchen Ausstellung gezeigt werden, sind gemeinsame Produkte mehrerer Maler oder von Malern und Literaten. Der wilde Pinsel und der krakelnde Stift toben sich aus. Archaische Zeichen tauchen auf und Kritzeleien wie aus Marxens Exzerptheft oder von Mutterns Einkaufszettel.

Selbst die offizielle Kunst der DDR entzieht sich zunehmend den ideologischen Vorgaben der Partei. Die große Kunstausstellung der DDR in Dresden zeigte bei ihrer IX. Auflage 1983 eine andere DDR. «Ganz schön kaputt sieht das ja alles aus», kommentierten irritierte Besucher spontan nach einem Rundgang durch die Werkschau. Statt der gewohnten Strahlebilder vom frohen Schaffen der Arbeiterklasse und vom unaufhaltsamen Fortgang des realen Sozialismus im eigenen Land diesmal echter Realismus, selbst von arrivierten Staatskünstlern: Anklage gegen Einsamkeit, Entfremdung und eine verschandelte Umwelt.

Im Dresdener Ausstellungskatalog verweist Helga Möbius in einem Kommentar auf «ein verstärktes Bedürfnis nach Spontaneität und Phantasie», das in den Bildern zum Ausdruck kommt. Dieses Bedürfnis ist bei diesen Parias des offiziellen DDR-Kulturbetriebs zur Gier angewachsen:

> Oh tag der du ablaeufst
> wie schnullis fernsehfilm
> oh wohlstand deine schnulze
> geigt in geilen toenen wenn
> ich unser flusensieb anbete
> schwimmende kuechen auslekke
> springende klo & wasserbecken
> mir lieb wie luksus sind.

So kaspert der Ost-Berliner Jungdichter Bert Papenfuß über den Bruch zwischen seiner und der Bürgerwelt. In einem anderen Gedicht wünscht er sich, daß «Doch Das KAOS Kaeme». Wörter, Sätze werden zerhackt, verballhornt und neu zusammengesetzt. Die Experimentierwut geht nicht nur auf die Zustände und Personen los, die in diesem Gedicht vorkommen – sie gilt der Sprache selbst. Der traditionellen Kunstauffassung des sozialistischen Realismus gilt dieses Herumspielen mit den Wörtern und den Satzzeichen als formalistischer Unfug. Gerade hierin zeigt sich aber die Substanz des Umbruchs. Wolf Biermann und Volker Braun nahmen die sozialistische Ideologie, an der sie sich rieben, ungeheuer ernst. Sie und ihre Kollegen der sechziger Jahre setzten sich eingehend mit deren Auguren auseinander und ließen Marx und Lenin als Schiedsrichter gelten. Die heutigen jungen Dichter tummeln sich irgendwo weit ab von diesem verödeten Kampfplatz. Sie sind nicht «anti», sondern «sub» und darum auch schwerer dingfest zu machen. Angesichts der engen Sprachgrenzen, die das Konzept des sozialistischen Realismus gesteckt hatte, erscheint es nur folgerichtig, daß sich die Jungen vor allem als Sprach-Chaoten profilieren.

> ich weiß keine weltanschauung,
> keine fernfahrkarte oder
> weiteres ding, worauf mehr
> als der preis geschrieben steht.
> ich habe außer meiner sprache keine
> mittel, meine sprache zu verlassen.

So leitet der Ost-Berliner Lyriker Sascha Anderson seinen Gedichtband «Jeder Satellit hat einen Killersatelliten» ein, der 1982 in West-Berlin erschien. Junge Lyriker wie Anderson, Bert Papenfuß, Uwe Kolbe, Lutz Rathenow, Rüdiger Rosenthal, Wolfgang Hegewald und Thomas Rosenlöcher drücken den Kulturriß in der DDR aus, für dessen eine Seite sie selbst stehen.

Dieser Riß verläuft nicht zwischen Lübeck und Hof:

> geh über die grenze
> auf der anderen seite
> steht ein mann und sagt:
> geh über die grenze ...

Anderson, 33 Jahre alt, wiederholt das, macht eine Endlosgeschichte daraus. Zusammen mit dem siebenundzwanzigjährigen Maler Ralf Kerbach reiste er 1982 durch die DDR, im Dezember ging Anderson noch einmal allein auf Winterreise, zusammen «mehr als 7000 Kilometer».

Die Risse spürten die beiden in der eigenen Republik auf, jenseits der Westgrenze steht schließlich der uninteressante Doppelgänger und sagt: «geh über die grenze».

Nicht das, was dahinter kommt, scheint die neuen Wilden der DDR-Poesie zu interessieren, sondern einfach das, was sie vor sich sehen und was sie am Weitergehen hindert: Die Grenze als ein «erleuchtendes zeichen», die Grenzer, die da «paarweise im sperrgebiet hocken» und am Sonntag den Gästen der Harzquerbahn zuwinken – deutsche Geschichte «ineinandergekrallt».

Resümee dieser Harzreise, bei der Heinrich Heine den Reiseführer abgab:

> zwischen den dörfern elend und sorge
> vergällts mir die dichterei ganz
> die wirklichen grenzen bewirken nur
> einen hängenden schwanz.

Ständig stolpern die Reisenden über Torsi aus der jüngeren deutschen Geschichte. Im Oderbruch stoßen sie auf farnüberwachsene Statuen aus der Hitlerzeit und auf Ribbentrops Putzfrau. In der Lausitz sind sie Zeugen einer industriellen Flurbereinigung, Bagger tragen den Galgenberg ab, ein tausend Jahre altes sorbisches Grabfeld.

Andersons Reiselyrik mündet in ein Manifest des Ausstiegs aus der fremden, eigenen Geschichte:

> wenn ich nicht jedes verhältnis zur heimat verloren hätte, wenn ich die natur, die sich mit vulkanisch toten zeichen aus der sandsteindecke dieser landschaft errichtet hat, spürte, als stärke, die das herz, von mehr als dem schnellen aufstieg schwerer schlagen liesse, ich würde preisgeben die ruinen und türme, die kreuze und kreuzwege, namen und mengen, die der deutsche pflegt und fraktur-beschriftet an jedem punkt von einhundert metern überm spiegel des meeres.

Der etablierten Literaturwissenschaft der DDR paßt so etwas nicht. Es sind nur wenige, wie Franz Fühmann mit seinem Nachwort für einen Gedichtband von Uwe Kolbe und seinen Diskussionen mit jungen Autoren in Fürstenwalde, die dem Neuen verständnisvoll zu begegnen versuchen.

Eher typisch ist ein Verriß in der *Neuen deutschen Literatur,* in dem der Literaturprofessor Klaus Jarmatz den unangepaßten Außenseitern nach bewährtem Kritikraster Individualismus und Abkehr von der Gesellschaft vorwirft. Gewisse junge Autoren, beklagt Jarmatz, «strapazieren» allzu gern die «Risse» in der sozialistischen Gesellschaft. «Betroffene Befindlichkeit» einzelner werde ausgebreitet, «Selbstverwirklichung außerhalb der wirklichen Welt» angestrebt. Alles bleibe so «seltsam unbestimmt».

Den kühlen Charme der Unbekümmertheit, der «gewisse junge Autoren» prägt, nimmt Jarmatz so wenig zur Kenntnis wie die meisten Literatur-Kritiker der DDR. Er paßt nicht in ihr sozialistisches Kunstklischee.

Diese Unbekümmertheit unterscheidet die Neuen von ihren älteren Vorgängern wie Braun oder Biermann. Sie gehen mit einer naiven Unverfrorenheit auf ihre nächste wie fernere Umwelt los, bei der manchem Älteren der Atem stockt. Die heute Zwanzig- bis Dreißigjährigen haben ein anderes Verhältnis zu ihrer Gesellschaft und zur Geschichte der DDR. Sie sind «hineingeboren» (Uwe Kolbe) und müssen sich nicht mehr mit der Frage plagen, ob sie denn nun 1945 oder 1952 oder 1961 die Weichen falsch gestellt hätten.

Es ist schon vertrackt, auf welche Weise die SED ihr Erziehungsziel – die Identifizierung mit der DDR – bei diesen im Sozialismus Geborenen und Aufgewachsenen erreicht hat. Da drucken die Kulturbürokraten doch lieber Westliteratur nach, halten Schiller und Goethe in Ehren und rehabilitieren die ehedem reaktionäre Bagage: Luther, Bismarck, Karl May und demnächst auch Nietzsche.

Diese Reaktion bestärkt nur die Klassiker-Verachtung der jungen Dichter. Sascha Anderson veräppelt den von der DDR heftig-harmlos verehrten «Dichterfürsten Goethe» in seinem Gedicht «eNDe IV»:

östwestlicher die wahn
machs gut mit spekulatius . . .
machs gut im aquarium.

Mit der «Beat-Generation» der fünfziger Jahre vergleicht der West-Berliner Günter Erbe in einer literatursoziologischen Untersuchung die Lyrik Andersons, Kolbes und anderer junger DDR-Autoren. Die damalige Haltung «harter Passivität und neu gerichteter, gespannter Aktivität» (Walter Höllerer, Schriftsteller und Literaturwissenschaftler in West-Berlin) findet Erbe in ähnlicher Weise bei den jungen Ost-Berliner Dichtern.

Sie verstehen sich nicht mehr als Schriftsteller mit sozialistischem Anspruch, sondern, ganz klassisch, als Dichter. Uwe Kolbe: «Meine Generation hat die Hände im Schoß, was engagiertes Handeln betrifft. Und: «Ich kann noch weitergehen und sagen, daß diese Generation völlig verunsichert ist, weder richtiges Heimischsein hier, noch das Vorhandensein von Alternativen anderswo empfindet.» Diese Sätze druckte 1979 die DDR-Zeitschrift *Weimarer Beiträge* im Rahmen einer Umfrage unter jungen Autoren.

Andere sind näher an der Politik. Lutz Rathenow zum Beispiel. Er lebt ebenfalls in Ost-Berlin. Seine deutliche Kritik am Militarismus weist ihn als den zeitgemäßen Typ des politischen Schriftstellers aus. Rathenow nutzt die Gelegenheit, bei kirchlichen Friedensveranstaltungen zu sprechen. Dort trägt er dann Texte vor wie seine «Gedanken über Schranken zum Thema Frieden».

Spielzeugpanzer, zynische Sprüche von Unteroffizieren, die selbstbetrügerischen Zivilschutzübungen und der Bastelbogen für Kinder «Manöverspiel» sind das Material seiner «Gedanken». Optimismus definiert Rathenow als «Glauben, daß der nächste Krieg noch nicht der letzte ist». Das ist die Sprache der christlichen oder auch nichtgläubigen Pazifisten.

Am 13. Mai 1983 sollte in der Nähe von Rostock ein politisches Experiment stattfinden. Das Friedensseminar in Kessin hatte zur Podiumsdiskussion geladen: den DDR-Friedensrat, die Rostocker FDJ, zwei Naturwissenschaftler, einen Kirchenmann, Landesbischof Heinrich Rathke und Lutz Rathenow. Den Veranstaltern lag viel am Gespräch mit FDJ und offiziellem Friedensrat. Um so bemerkenswerter, daß sie auch Rathenow geladen hatten, der auf der Stasi-Liste mißliebiger DDR-Bürger weit oben steht.

Das Kessiner Experiment scheiterte halb: FDJ und Friedensrat kniffen zwar schließlich trotz Zusage, andere SED-Genossen kamen und diskutierten mit den Pazifisten. Rathenow las aus seinen Texten, die in der DDR nicht gedruckt werden dürfen.

Zwischen Lutz Rathenow und Sascha Anderson scheinen Welten zu liegen: Pazifismus und Boheme, Engagement und Avantgarde. Die Ost-Berliner Szene läßt jedoch solche Gegensätze nicht allzu schroff geraten. Unter einem Brief

86

von DDR-Bürgern an den Bonner Bundeskanzler Kohl im Oktober 1983, in dem für einen Verzicht auf die Nachrüstung plädiert wird, stehen erstmals alle Namen – von Anderson bis Rathenow.

Es sind dieselben Feten, bei denen man sich trifft und bespricht, dieselben Viertel, in denen man lebt, dieselben Knüppel, die dem Outsider zwischen die Beine geworfen werden.

Die gemeinsame Alltagswirklichkeit erfahren Bohemiens wie Aktivisten in Ost-Berlin vor allem im Stadtbezirk Prenzlauer Berg. «Diplomatenkuh» keift in Plenzdorfs neuem Film eine Göre die andere an und die kontert: «Prenzlauer-Berg-Zicke!»

Den Ost-Provos ist vor allem eines gemeinsam – es geht ihnen um das ganze Drumherum ihrer Lebenswelt. Sie stören die beengten und verplanten Lebensläufe ihrer Umgebung. Sie stoßen hastig alle Fenster auf, um das stickige Betriebsklima in ihrer Republik kräftig durchzulüften. Ihre Gegner heißen: Betulichkeit, Enge, Apathie. Rauh und expressiv wie ein Rock-Text liest sich das Gedicht, das Uwe Kolbe «allen mir ehemals Vorgesetzten zu freundlichster Erläuterung» gewidmet hat:

Ich kenne mich und weiß
Um die Verbote
Daß mir keins gilt
Ich richte was an
Und genieße
Die Unruh der andern
Unbegreiflich ist es
Und ist ohne Begriff
Auch ohne Politik!
Ich könnte versorgen
Als Patient eine Klinik
Mit meinem Kopf.

Rathenow schildert die Arbeit einer Laientheatergruppe, die sich seit einem Jahr einmal pro Woche in einem Jugendklub am Prenzlauer Berg trifft. Ziel: «So etwas wie Theater zu proben, mit dem einmal auf Hinterhöfen aufgetreten werden soll.» Happenings, Aktionstheater, Straßentheater hieß so etwas einmal im Westen. Rathenow nennt es «Gedichtinszenierung», den Versuch, «Lyrik in ein anderes Medium zu bringen» oder «Hofgeschrei».

Initiativen dieser Art sind zahlreich. Jana und Sven aus Leipzig machen in einer Laiengruppe mit, die Märchen spielt – «bloß so aus Spaß», für sich und Freunde. Für kirchliche Jugendveranstaltungen proben überall in der Republik Dutzende Theater- und Musikgruppen. Ihre Themen kreisen meist um das Doppelleben zwischen Schule, Beruf und privater Welt. Bei den Bluesmessen des evangelischen Jugendpfarrers Rainer Eppelmann im Ost-Berliner Stadtteil Friedrichshain wird dieser Konflikt in seinen alltäglichen Varianten durchgespielt. «Lustlosigkeit» hieß letztes Jahr das Leitwort. Auf der Bühne stand die Attrappe einer im Frust zerdepperten Telefonzelle.

Beim Rostocker Kirchentag im vergangenen Juni inszenierte eine junge Theatergruppe die Erfahrung von Mißtrauen und Anpassung in der Öffentlichkeit. Ein dickes Textheft voller Spielszenen war ihnen dazu eingefallen, nur einen Bruchteil davon konnten sie durchspielen. Theater als Kommunkationsform – nicht nur christliche Jugendgruppen und Hippies in Hinterhöfen am Prenzlauer Berg haben dieses Medium entdeckt. Auch Profis sind auf den Geschmack gekommen.

Ost-Berlin, 30. Januar 1983. Im Palast der Republik läuft der dritte Abend des «Rock-für-den-Frieden»-Spektakels. Veranstalter sind die FDJ, der Republikpalast und das «Komitee für Unterhaltungskunst». Anders als in den Jahren zuvor hat das DDR-Komitee für Unterhaltungskunst diesmal fast alle Etagen und Räume des Palastes für die dreitägige Session gemietet. Raum für jede Menge Selbstdarstellung: Plakate und Postkarten, auf denen grüne Kritik artikuliert wird, ein Grafikstand junger Künstler. Punks tummeln sich leibhaftig im Gedränge; Punkpärchen kauen am Palastimbiß in der vierten Etage Käseschnitten, neben FDJ-Blauhemden und den Herren von der Palastwache.

Unten im Foyer falzen und beschriften derweil Jugendliche kleine Papierkraniche, um sie auf einen großen Pappglobus zu heften. Im Handumdrehen gerät der Kranichschwarm zum politischen Stilleben: Jeder kritzelt sein Bekenntnis auf die Papierflügel, die er auf die Weltkugel heftet. Vom strammen «Ich geh' zur NVA!» bis zum soften «Make love, not war – John Lennon» findet sich alles. Auch die Parolen der vom Regime verfemten privaten Friedensbewegung: «Schwerter zu Pflugscharen», «Frieden schaffen ohne Waffen».

Das Treiben flaut ab, als die Stars des Abends angekündigt werden. Die Rockgruppe «Pankow» ist darunter. Die Fünf haben sich zum heutigen 50. Jahrestag der Nazi-«Machtergreifung» was Besonderes einfallen lassen. Im vollen Großen Saal – er faßt 3000 Zuhörer – ist es dunkel. Bloß einer steht im Scheinwerferlicht: André Herzberg, Sänger der Gruppe, jüdischer Herkunft und angetreten zum Strip verkehrt.

Fast nackt ist er auf der Bühne erschienen und zieht sich jetzt unter vereinzelten Pfiffen des Publikums eine komplette deutsche Wehrmachtsuniform an. Inklusive Sturmgewehr und Stahlhelm. Die dreitausend im Dunkeln sieht man nicht, man hört nur ab und zu ihre Mißfallensäußerungen. Sie sind offenbar irritiert. Dieses Gefühl verstärkt sich noch, als Herzberg zu reden beginnt. Er spielt den arbeitslosen Hitler-Wähler, den kleinen Mann, der auf SA und neue Ordnung baut. Dann setzt die Musik der Gruppe ein, das Licht geht an. «Komm aus'm Arsch!» lautet der Refrain, den Herzberg zu einem harten, schnellen Rhythmus herausschreit, tanzend in der deutschen Landsermontour.

Die Kombination von harter Rockmusik mit Punk-Accessoires, Alltagsrealismus in den Texten und Theaterelementen provoziert. Ob der Landser-Auftritt stattfinden konnte, war «bis kurz vorher unklar», sagt einer der Organisatoren.

Selbst das Standardthema politischer DDR-Erziehung, der Faschismus, hat seine Reibungsflächen. Die Jungen wollen, wenn sie darüber sprechen, über Autoritäts- und

Militärliebe in Deutschland nicht schweigen. «Seht her, deutsche Wertarbeit!» schreit der «Pankow»-Sänger und zeigt auf seine Wehrmachtsstiefel und «Ordnung muß wieder her in Deutschland!»

Kapitalismus führt zum Faschismus? Autoritäres Denken führt zum Faschismus? Kritische DDR-Bürger zeigen Besuchern aus dem Westen oft ein Buch aus dem Leipziger Reclam-Verlag: «LTI» (Lingua Tertiae Imperarii/Sprache des Dritten Reiches»), Aufzeichnungen über die sprachlichen und alltäglichen Details der Hitlerzeit, erschienen 1947 und seitdem immer wieder aufgelegt.

Der Autor Victor Klemperer über den Gebrauch des Wortes «historisch» durch die Nazis: «Historisch ist jede Rede, die der Führer hält, und wenn er hundertmal dasselbe sagt, historisch ist jede Zusammenkunft des Führers mit dem Duce, auch wenn sie gar nichts an den bestehenden Verhältnissen ändert . . . historisch ist jedes Erntedankfest, historisch jeder Parteitag, historisch jeder Feiertag jeglicher Art.»

Kaum ein DDR-Jugendlicher, der dieses Buch verschlungen hat, würde Rot gleich Braun setzen. Aber daß ihre Lehrer beim Stichwort Faschismus das autoritäre Erbe der Deutschen außen vor lassen und immer bloß von den monopolistischen Geldgebern reden, das stinkt ihnen – dem Hallenser Punk, der «das Deutschsein» haßt, dem Rocksänger, der anders darüber redet als in der Schule üblich, dem Lyriker, der sich von deutscher Tradition absetzt.

Wo diese Tradition öffentlich verdrängt wird, kann es mitunter skurril werden. Bei der Leipziger Dokumentarfilmwoche im November 1981 disputierten Filmemacher und SED-Funktionäre über einen westdeutschen Film zum Thema Neonazis. In der Debatte unterlief einem Diskutanten der Satz: «Und als dann in der BRD der Faschismus errichtet wurde . . .»

Natürlich war die Weimarer Republik gemeint, aber weder stockte der Redner mitten im Satz, noch bemerkte irgend jemand in der Runde die Fehlleistung.

5
«Mein Leben ist noch nicht gelaufen»

Sechsmal DDR privat

Thomas

Thomas erwartet heute Besuch. Die Eltern kommen. Sein Vater hat vorher angerufen. Sogar Kuchen will er mitbringen. Judith, die sechsundzwanzigjährige Freundin von Thomas, deckt schon draußen auf dem Balkon den Kaffeetisch. Für Judith, die seit Jahren mit Thomas zusammenlebt, bedeutet der bevorstehende Besuch, daß sie die bisher immer nur als Phantom im Hintergrund stehenden Personen endlich einmal zu Gesicht bekommen wird.

Zwischen Thomas und seinen Eltern ist fast fünf Jahre lang nichts mehr gelaufen. 1978 ist er zu Hause rausgeflogen. Ein einziges Mal hat ihn sein Vater danach besucht – das war 1981. Da fand er Thomas nach einer durchgemachten Nacht zwischen sieben oder acht anderen Gestalten, auf einem Matratzenlager halb verschlafen in einem besetzten Haus in Dresden vor. Es war zuviel für ihn. Kaum hatte er den Kopf zur Tür hereingesteckt, verzog er sich wieder. Das war nicht seine Welt. «Du bist nicht mehr mein Sohn», mußte sich Thomas später von ihm sagen lassen.

Sein Vater war damals gerade zum stellvertretenden Minister aufgestiegen. Er war an jenem Morgen nur in einer dringenden Familienangelegenheit gekommen, die geregelt werden mußte, und da sein Sohn keinen festen Wohnsitz besaß, hatte er ihn in einem Hause aufgespürt, über dessen Schwelle er seinen Fuß normalerweise nicht gesetzt hätte.

Dabei war das Leben der Familie anfangs so mustergültig abgelaufen. Der Vater, altes Parteimitglied, hatte eine sozialistische Karriere gemacht. Aus der engen Wohnung war die Familie in ein Haus am grünen Stadtrand gezogen. Zwei Autos standen zur Verfügung, und es gab auch schon mal Urlaub im sonnigen Süden.

Mit Thomas lief zunächst ebenfalls alles so wie vorgesehen: Schon in jungen Jahren Gruppenleiter bei der «Pionierorganisation Ernst Thälmann», mit 15 Klassenleiter der «Freien Deutschen Jugend» (FDJ), freiwillige Mitgliedschaft in der «Gesellschaft für Sport und Technik» (GST), Sektion Motorradsport, vorbildliches gesellschaftliches Engagement bei der «Volkssolidarität». Im FDJ-Klub schloß er sich einem Kulturzirkel an. Die Lehrer bescheinigten ihm wiederholt «einen festen weltanschaulichen Standpunkt», seine Zeugnisse waren immer einwandfrei.

Als sein Vater den Posten im Ministerium bekam, mußte die Familie nach Ost-Berlin umziehen. Eine neue Schule, neue Freunde, das großstädtische Klima brachten auch neue Erfahrungen für den damals sechzehnjährigen Thomas.

Er begann Musik, Theater und Literatur zu entdecken. Die Freunde, die er mit nach Hause brachte, paßten den Eltern nicht, so wenig wie die Sinnsprüche über seinem Schreibtisch. Der Vater nahm ihm auch schon mal Bücher mit «zersetzendem Inhalt» weg.

Die Schulleistungen ließen nach, das Klima zu Hause verschlechterte sich. Gesprochen wurde immer weniger miteinander. Thomas hatte damals das Gefühl, daß seine Eltern ihm ihren eigenen Lebensstil mit aller Gewalt aufzwingen wollten. Auf das Verhalten des Sohnes reagierten sie mit Panik. Drohungen oder Bestrafungen gerieten immer mehr zum Haupterziehungsmittel.

Die Zeit bis zum Abitur zog sich mit diesen Kämpfen dahin, dann hatte es Thomas endgültig satt: Eines Abends, nach einem heftigen Streit, packte er seine Sachen und ging, ohne sich zu verabschieden.

Er schlüpfte bei Freunden in Pankow unter. Zu dritt wohnten sie in einem Zimmer. An einem verregneten Nachmittag schrieb Thomas damals «Ich-Sätze» in sein Tagebuch: «Ich stelle mir vor, gebraucht zu werden. Ich stelle mir vor, wie ich lebe, wenn ich nicht unruhig sein muß, wenn ich keine Angst haben muß. Ich stelle mir Glück vor. Ich stelle mir vor, ich zu sein. Ich will, daß ich für jemanden wichtig bin. Ich bin ich.»

Zwei Wochen später mußte er zur Armee. Die Hoffnung seines Vaters, daß er davon geläutert zurückkehren würde, ging nicht in Erfüllung. Seine Erfahrungen dort, weiß Thomas heute, hätten ihn nur noch mehr darin bestärkt, einen anderen Weg als seine Eltern zu gehen.

Mit dem Studienplatz hatte es nicht geklappt. Thomas wollte gern Architektur studieren, bekam aber nur einen Platz als Lehrer oder Ökonom angeboten. Sein Interesse fürs Bauen hatte durch die Bekanntschaft mit einem Restaurator begonnen. Er liebte dic alten Berliner Häuser, die Villen genauso wie die Straßenzüge am Prenzlauer Berg. Als er frisch in die Stadt gekommen war, streifte er oft ganze Nachmittage durch Straßen und Hinterhöfe und konnte sich nicht sattsehen.

Thomas begann später an Modellen zu basteln. Er entwarf Wohnhäuser, Abenteuerspielplätze, Kommunikationsparks oder bewohnbare Hinterhöfe. Die Küche seiner Einzimmerwohnung wurde von ihm zum Atelier umfunktioniert. Gips, Holz, Farbe, Pappen und tausend Kleinigkeiten füllten den Raum.

Ein zweiter Anlauf, den erhofften Ausbildungsplatz zu erlangen, scheiterte. Thomas hing mehr und mehr durch. Er lebte von Gelegenheitsjobs und versuchte mit wechselndem Erfolg, dieses oder jenes Projekt zu verwirklichen. Dabei geriet er unvermeidlich auch in den Blick der Staatssicherheit. Thomas schrieb damals, als er einen Termin mit der üblichen lakonischen Aufforderung «zur Klärung eines Sachverhalts» anstehen hatte:

«Die bange Frage ist: Wodurch bin ich besonders aufgefallen? Wer *dahin* muß, bei dem ist doch was Außergewöhnliches. Man wird nicht ohne Grund aufmerksam auf einzelne Menschen, solche Systeme nicht. Und da man den

Arbeits- und Kontrollbereich jener Institution kennt, beginnt man unweigerlich, in seiner jüngsten Vergangenheit herumzukramen, nach schwarzen, verborgenen Stellen, die der Anlaß sein könnten. Man durchwühlt seine Gedanken, strapaziert sein Erinnerungsvermögen, um irgend etwas Verdächtiges zu finden, das den Leuten da ins Auge gefallen sein muß und Mißfallen oder Bedenken an einem hervorgerufen hat. So kramt und forscht man, sieht sich von der schlimmsten Seite, versucht, sich an Briefinhalte zu erinnern, überprüft, ob man in letzter Zeit nicht unliebsame Handlungen begangen oder falsche Äußerungen verkündet hat. Man findet nichts, kommt zu keinem Schluß. Die Unruhe, die Unsicherheit bleibt. Die innere Aufregung: Was wird wohl sein? Weil man es sich gar nicht vorstellen kann. Und so wird man mit weichen Knien dorthin gehen, auch wenn man ein reines Gewissen hat. Die Beklemmung bleibt. Und alles nur aus Angst. Aus Angst, aus der anonymen Masse herausgehoben zu werden, aus der Masse, die doch Freiheit und Schutz gab.»

Bei Thomas stellten sich solche Termine immer als harmlos heraus. Seinen Freunden erging es dagegen mitunter weitaus schlechter. Solche Geschichten ließen sein Vertrauen in den Staat auf den Nullpunkt sinken. Zwar hatte er seine Hinterhauswohnung, seine Freundin und die anderen Freunde, doch war auch er nach Jahren der Zermürbung genauso weit wie einige aus seinem Umkreis, die den «Antrag» stellten. Er selbst zögerte lange damit, und als sein bester Freund, der Restaurator, ausgereist war, konnte er es nicht fassen. Das Resignieren, Aufgeben, Abhauen seiner Freunde demoralisierte auch ihn:

«Ob sich die Leute klar sind, was sie uns hinterlassen, was sie anrichten, an Enttäuschung, Trauer und auch Zorn? Gerade jetzt, wo die Menschen immer unzufriedener werden, wäre Hoffnung angebracht, daß die Menschen über diese Kommunikation zu sich selbst finden, ihre steifen, fremden Hüllen ablegen und aufeinander zugehen als gemeinsam Betroffene. Doch dazu wäre mehr Ehrlichkeit notwendig.

Warum will das unsere Staatsführung nicht, warum wird das zum Verbrechen erklärt?»

Thomas faßte den Entschluß dazubleiben. Neue Projekte interessierten ihn. Er zog in eine Wohngemeinschaft, versuchte mit drei anderen Leuten eine gemeinsame Werkstatt zu organisieren. Das ging eine ganze Weile so. Zu den Lieblingsprojekten von Thomas zählte in dieser Zeit ein selbstorganisierter Kinderladen, an dem er mitarbeitete.

Eines Tages lag ein Brief in seinem Kasten. Zu seiner Überraschung hatte es doch noch mit einem Studienplatz geklappt. Er hatte sich immer wieder – sozusagen routinemäßig – weiterbeworben, denn sein alter Traum vom Architekten lebte in ihm weiter. Nun stürzte er sich aufs Studium, endlich konnte er das machen, was ihn schon immer interessiert hatte. Er will einmal die Möglichkeit haben, mit seinen Fähigkeiten gebraucht zu werden, will sich mit seinen Ideen durchsetzen. Da Judith in dieser Zeit auch ein Kind bekam und die anderen aus der Wohngemeinschaft aus beruflichen Gründen fortziehen mußten, suchten sich die beiden eine neue, bessere Wohnung.

Aus der Perspektive seines Vaters sieht das alles so aus, als habe Thomas endlich den rechten Weg gefunden. Für ihn zählen nur die äußerlichen Kennziffern: ordentliche Wohnung, fleißiger Student. Das war ausschlaggebend für den Besuch nach all den Jahren. Thomas sieht das gelassen, auch wenn er weiß, daß es noch ein fauler Frieden ist zwischen ihm und seinen Eltern, daß sein Vater ihn nicht wirklich versteht. Doch ein Fortschritt war es schon.

Zwar hatte es bei Kaffee und Kuchen keine große Debatte über die zurückliegenden Jahre gegeben, aber sein Vater kam ihm insoweit ein Stück entgegen, als er selbst von seinen Problemen, Zweifeln und seinem Ärger etwas erzählte, und umgekehrt mit Interesse und nicht mit Ablehnung dem zuhörte, was Thomas aus seinem Leben, über seine Zukunftspläne berichtete. «Und das», meint Thomas nach diesem Tag, «ist doch schon erstmal ziemlich viel.»

Ansgar

Wenige Tage nach seinem 16. Geburtstag hörte Ansgar im Radio, Jim Morrison sei tot in einem Pariser Hotel gefunden worden. Ansgar lebte damals in Leipzig bei seinen Eltern, ging zur Schule und besaß drei Platten von den «Doors», die ihm sein Mainzer Cousin mitgebracht hatte.

Die Nachricht vom mysteriösen Tod des Doors-Sängers traf Ansgar und seine drei Freunde, mit denen er seit ein paar Monaten Stücke westlicher Rockgruppen einübte. Die vier hatten Glück gehabt: Einer von ihnen hatte verständnisvolle und wohlhabende Eltern, die ihrem Sohn und seinen Kumpels einen Kellerraum zurechtgemacht hatten. Darin übten sie an drei Abenden jede Woche, nachdem es ihnen gelungen war, sich Instrumente und einige Ausrüstungsteile zu beschaffen.

Weil Ansgar die Morrison-LPs hatte und weil es allgemein üblich war, als kleine Band eine bestimmte Richtung der westlichen Rockmusik nachzuspielen, einigten sie sich auf den Doors-Sound.

Die vier brachten es zu einigen Auftritten in ihrer Schule und in Leipziger Jugendklubs. Nach dem Abitur löste sich die Gruppe auf, weil alle zur Volksarmee mußten. Für Ansgar stand damals fest, daß er Rockmusiker werden wollte. Während der Militärzeit übte er weiter auf seiner Gitarre und lernte neue Musiker kennen. Am liebsten hätte er gleich nach der Entlassung aus der Armee eine neue Band aufgemacht und losgelegt.

Um als Profigruppe anerkannt zu werden, mußten aber wenigstens einige von ihnen eine Fachausbildung vorweisen können. Ansgar hatte keine Lust zu studieren und bewarb sich um einen Ausbildungsplatz beim Fernsehen; außer seiner Musikleidenschaft hatte er Interesse am Film.

Er zog nach Berlin und kam beim Fernsehen an. Nach kurzer Zeit trafen er und ein Bekannter aus der Armeezeit eine Rockgruppe, bei der gerade zwei Musiker ausgestiegen waren. Dann ging alles sehr schnell. Bald stand Ansgar mit seiner neuen Gruppe jedes Wochenende auf der Bühne. Die Musik der Doors mochte er noch immer. Er hatte einige Bände amerikanischer Underground-Literatur – Romane und Gedichte – gelesen, seine Plattensammlung war eine der größten und bei Ost-Berliner Rockmusikern begehrt.

Irgendwann begann Ansgar, selbst Texte und Musik zu schreiben. Manches davon nahm seine Band in ihr Repertoire auf. In einem Song beschrieb Ansgar die Langeweile, den Frust und die Ängste, die er als Soldat kennengelernt hatte. In einer Strophe ging es um Nachtalarm: Sirenenheulen, Soldaten, die im totalen Dunkel herumrennen, die Angst, es könnte diesmal ernst sein. Andere Stücke handelten von Frauen, vom Abhauen in südlichere «Sonnenländer» und von Typen, die Ansgar nicht ausstehen konnte.

Ein Lied erzählte ironisch die Geschichte von «Kreuzberg-Manni», einem gleichaltrigen Ost-Berliner, der natürlich noch nie in West-Berlin war, aber alle Leute über Kreuzberg vollquatschte. Er kannte jede Straße, jede Ecke, jede Band dort, so hatte er sich in die ihm fremde Welt hineinphantasiert, in eine Welt, die er nur aus dem Radio und aus Berichten kannte.

Diese Stücke waren ziemlich beliebt beim Publikum, und als über die erste Platte verhandelt wurde, wollte Ansgar wenigstens einige von ihnen mit aufnehmen. Die Plattenfirma war anderer Ansicht. Vor allem das «Nachtalarm»-Lied ginge zu weit, hieß es, und bei dem «Kreuzberger Manni» hätte man den eigenen kritischen Standpunkt gern noch ein wenig klarer gehabt und schlug Veränderungen vor.

Ansgar war empört. Er hatte eine recht konfliktlose Jugend gehabt und war bei den Auftritten nie in Schwierigkeiten mit seinen Texten gekommen. Deshalb war er zu keinem Kompromiß bereit. Seine Kumpels sagten ihm hinterher, er sei wohl doch etwas zu motzig aufgetreten bei der Verhandlung. Sowas käme laufend vor, daran müsse er sich schon gewöhnen. Es sei überhaupt alles außergewöhnlich glatt gelaufen bisher, und er solle nicht alles kaputtmachen, wo es um die erste Platte ginge.

Ansgar lenkte nach ein paar Tagen ein und erklärte sich sogar bereit, am «Kreuzberg-Manni» herumzufeilen. Aber die Glückssträhne war vorbei. Vor ihrem nächsten Auftritt – es war ein größeres Rockfest – verlangte der Veranstalter, zwei Stücke sollten nicht gespielt werden. Nach einer Auseinandersetzung, die nichts änderte, trat die Gruppe ohne die beiden Lieder von Ansgar auf.

Bei den meisten Auftritten gab es ähnliche Vorgespräche, ähnliche Verzichtforderungen. Ansgar veränderte sich. Er spielte oft lustlos, hatte ständig schlechte Laune. Manchmal brachte die Band die abgesetzten Stücke trotz der Verbote. Das war dann meist der Höhepunkt des Abends. Es hatte sich unter den Leuten herumgesprochen, was mit Ansgar und einigen seiner Lieder los war.

An einem Wochenende fuhren er und die anderen nach Thüringen, sie hatten dort zwei Konzerte. Als Ansgar am Montagnachmittag wieder in seine Wohnung kam, lag alles durcheinander, standen Schranktüren offen, und vor allem fehlte seine geliebte Plattensammlung. Er rief einen Freund an, und sie gingen zu einem Rechtsanwalt.

Nach einigem Hin und Her brachte der Rechtsanwalt in Erfahrung, daß das Ganze eventuell ein Mißverständnis gewesen sei. Eine Haussuchung habe stattgefunden, aber wahrscheinlich hätten sich die in der Etage geirrt. Über Ansgars Wohnung habe einer gelebt, der in den Westen abgehauen sei, und um den sei es wohl gegangen. Ansgar atmete auf – dann bekäme er seine Plattensammlung ja wohl zurück. Der Rechtsanwalt konnte ihm dazu nichts sagen.

Ein wochenlanges Verwirrspiel begann. Ansgar erhielt weder eine klare Auskunft über die Gründe der Haussuchung, noch bekam er seine Platten zurück. Er hat nie erfahren, ob das alles wirklich nur ein Versehen war oder doch ein gezielter Schlag gegen ihn. Er hat auch – bis auf einen kleinen Teil – seine Platten nicht wiederbekommen.

Die Geschichte zermürbte ihn. Der undurchschaubare Plattenraub hatte ihm seine Energie, seine Lust am Musikmachen genommen. Ansgar wurde auf der Bühne immer schlechter – es gab Streitereien mit den anderen Musikern – die Plattenaufnahme war gefährdet. Schließlich stieg er aus der Band aus. Entweder hing er allein zu Hause herum oder an irgendeinem Kneipentresen. Alles, was er gern gemacht hatte, war kaputt.

An einem Vormittag ging Ansgar zum Rat seines Stadtbezirks und stellte seinen Ausreiseantrag in den Westen. Kurze Zeit später flog er beim Fernsehen raus und mußte sich einen Job suchen. Alles reduzierte sich auf das Lebensnotwendigste, er fühlte sich wie in einer Wartehalle.

Nach einem halben Jahr lud man ihn vor, er solle alle seine Papiere mitbringen. Das ist das sichere Zeichen, daß das Warten ein Ende hat, dachte er. Beim Rat der Stadt schickte man ihn in ein Bürozimmer, in dem eine ältere Frau saß. «Sie kommen hier nie raus, glauben Sie das bloß nicht!» war alles, was sie ihm mitzuteilen hatte.

Ansgar schlich wie geprügelt hinaus und kippte sich in der nächsten Kneipe mit Bier voll. Ein Jahr später bekam er dann doch die Papiere und reiste aus.

Julia

Julia wohnt in einem ordentlichen Haus und in ebenso geordneten Familienverhältnissen. Die Mutter ist Bibliothekarin, der Vater Entwicklungsingenieur in einem Datenverarbeitungsbetrieb. Die Wohnung der Eltern liegt irgendwo in einem dieser riesigen Betonblocks seitlich der Leninallee, in Berlin-Lichtenberg. Die Nachbarn dort kennen sich untereinander kaum. Die meisten sind staatliche Angestellte in mittleren Positionen, viele darunter aus dem Ministerium des Inneren. In Julias Augen «alles so Stasi-Typen», denen der Staat sich mit den komfortablen Wohnungen halt mal erkenntlich gezeigt hat.

Als eine Familie in ihrem Etagenflur eines Tages mehrere Bilder aufgehängt hatte, gab es einen Riesenkrach mit dem Hauswart. Man habe zwar möglicherweise nichts gegen die

Bilder, aber so ginge das ja nicht, ohne zu fragen. Da müsse man doch erst einen Antrag an den Verantwortlichen richten. Der nächste «Hausmeisterstützpunkt» sei ja nicht umsonst unten am Schwarzen Brett angegeben.

Die Bilder mußten also erstmal runter, zwei Monate später hingen sie wieder. Mit Genehmigung. Um Geschichten aus dem Haus und dessen Umgebung ist Julia nicht verlegen. Frauen, die ihre Männer betrügen. Männer, die ihre Kinder schlagen, damit sie sich «anständig» benehmen, und «die dann das ganze Wochenende ihren Golf oder Mazda putzen als ob's nichts Wichtigeres gäbe». Sowas bringt Julia auf die Palme.

Als sie noch zur Schule ging, mußte sie sich ihr Zimmer mit ihrer drei Jahre jüngeren Schwester teilen. Zwei Betten und Schränke ließen kaum Platz für einen Schreibtisch auf den vier mal vier Metern, und doch war das ihr Lieblingszimmer. Sie saß stundenlang an der Schreibmaschine und schrieb in mühsamer Kleinarbeit Texte ab, mit drei, vier Durchschlägen – für sich und ihre Freunde. Es waren recht unterschiedliche Sachen: Kritiken von Faßbinder-Filmen, Rock-Texte, Nachschriften von Sendungen des West-Berliner SFB oder neue Lyrik.

Stundenlang unterhielt sie sich mit ihren Freundinnen über Gott und die Welt, ihren Frust in der Schule, über Jungs, über kleinliches Gehabe von Eltern, Lehrern, Kneipenwirten, Verkäufern oder Polizisten, von denen sie sich oft als unmündige Person behandelt fühlt.

Ganz sauer war sie über die nur wenige Jahre älteren Einlaßkontrolleurinnen bei «Jugendtanzveranstaltungen», FDJ-Klubabenden und anderen Vergnügungen, «die nutzen ihr bißchen Macht so ungeheuer aus und spielen sich auf wie sonstwas. Entscheiden einfach, wer rein darf und wer nicht, und bringen die Stimmung in der Warteschlange regelmäßig zum Kochen».

Amüsiert berichtete sie vom siebzehnjährigen Freddy aus Pankow, der eines Abends im Alleingang eine «anarchistische Aktion» beging. Er steckte mit dem Kinderstempelkasten hergestellte Flugblätter («Es lebe die Anarchie!») in diverse Hausbriefkästen, bis man ihn erwischte und er selber in den Jugendknast wanderte. Oder von René, einem Mitschüler, der mit anderen darum gewettet hatte, daß er es garantiert schaffen würde, an ein und demselben Tag verhaftet und wieder freigelassen zu werden. Er wollte sich auf einen Blumenkasten am Alex stellen und laut eine Ansprache halten. Der Text dazu sollte ein x-beliebiger Artikel aus dem *Neuen Deutschland* sein. René verlor die Wette. Er hat es sich nie getraut – aus Angst davor, möglicherweise für verrückt erklärt zu werden.

Wenn sie aus ihren Schulaufsätzen vorlas, klang Julias Sprache plötzlich ganz anders: Aus ihrem Staatsbürgerkundeheft ertönte dann der Originalton *Neues Deutschland*. Solche Widersprüche machten ihr kaum zu schaffen.

Nach der Schule begann Julia eine Ausbildung als Sekretärin – «Facharbeiterin für Schreibtechnik» witzelte sie –, denn das Lehrstellenangebot für Frauen strotzte vor solchen hochgestochenen, skurrilen Bezeichnungen für die einfachsten Berufe. Zwar gab es für jeden Schulabgänger einen Ausbildungsplatz, doch nicht immer den, den man gerne gewollt hätte. Auf Sekretärin war sie gekommen, weil sie das von einer Freundin bei der DEFA kannte. Julia erhielt einen Platz bei der staatlichen Handelsorganisation, der sich recht bald als ziemlich öde herausstellte. Mit Ausbildung war nicht viel, sie kam sich mehr wie eine Aushilfskraft vor, mit der nach Belieben umgesprungen wurde.

Das schmeckte ihr nach einiger Zeit nicht mehr – eine Alternative war aber nicht in Sicht. Erst kam sie immer häufiger zu spät, dann fehlte sie öfters unentschuldigt. Einmal wurde sie mit Freundinnen beim Ladendiebstahl erwischt, ein andermal zusammen mit den Besuchern einer ganzen Fete festgenommen, weil auf dem Auto der Polizisten, die wegen ruhestörenden Lärms angerückt waren, eine Weinflasche gelandet war.

Die Jugendhilfe schaltete sich bald ein. Hinzu kam, daß sich die Eltern trennen wollten und sie in der Wohnung meist allein war, was öfter zu Beschwerden aus dem Hause führte, denn Julia und ihre Freunde nutzten die freie Wohnung weidlich aus. Es hagelte Aussprachen, Auflagen und Drohungen. Julia brach daraufhin die Lehre ab und nahm einen Aushilfsjob an.

Sie fand Anschluß bei einer Jugendgruppe, die offene Jugendarbeit macht. «Da waren Leute, die haben mir erstmals zugehört und mich nicht gleich vollgequatscht», meint sie später. Was da so lief, interessierte sie. Außerdem konnte sie mit einigen ganz gut über ihre Probleme reden «ohne zu mauern».

Der Pfarrer und die anderen brachten sie von Ausreisegedanken ab und auch wieder dazu, ihrem Job nachzugehen, damit sie die Ausbildung zu Ende macht. «Ich will leben», war damals eine ihrer häufigsten Aussagen, «und zwar richtig, nicht nur halb».

Nach einem Treffen im Freundeskreis blieb Julia verschollen. In der Wohnung meldete sich keiner, die Arbeitsstelle gab keine Auskunft, alle Bekannten waren ratlos. Es dauerte Wochen, bis klar wurde, was geschehen war. Sie war am Morgen nicht zur Arbeit erschienen. Daraufhin hatte man sie noch am selben Tag abgeholt und «den zuständigen staatlichen Stellen» übergeben.

Julia saß im Jugendwerkhof – ein Mittelding zwischen Knast und Erziehungsheim. Briefe, die sie geschrieben hatte, kamen nicht an. Erst Monate später durfte einer ihrer Freunde sie das erste Mal dort besuchen. Er saß ihr an einem Tisch im Besucherzimmer gegenüber, auf dem dritten Stuhl eine Beamtin, die alles mit anhörte. Das Gespräch verlief entsprechend. Über ein Jahr dauerte es, bis Julia da wieder rauskam.

Die guten Ratschläge der staatlichen Erzieher, den alten Freundeskreis auf jeden Fall zu meiden, schlug sie gleich bei ihrem ersten Ausgang in den Wind. «Sprüche, nichts als Sprüche hatten die drauf», meinte Julia später, «wirklich geholfen haben mir andere Leute: die Mädchen, die dort mit mir waren, meine Freunde in Berlin. Und die besonders lange Zeit zum Nachdenken.» Sie entschloß sich, die Sekretä-rinnen-Ausbildung endgültig aufzugeben und eine neue als Kindergärtnerin anzufangen. Doch bevor sie nach Berlin zurückkam, stellte sich schon raus, daß es nicht so einfach werden würde: «bei *der* Kaderakte!».

Julia arbeitet seitdem in einem Elektrobetrieb, um nicht wieder wegen «Asozialität» eingesperrt zu werden. Auch wenn sie früh um sechs anfangen muß, schafft sie das immer, zur Zufriedenheit ihrer Bewährungshelferin. Für die staatli-chen Stellen ist damit alles in Ordnung.

Jens und Nicole

Jens und Nicole leben seit Jahren in einem Dorf in der Nähe von Wismar. Der Großvater von Nicole hatte dort seine letzten Jahre allein in seinem reetgedeckten Bauernhaus verbracht, sie und ihr Freund Jens wohnten damals in einer jener Ost-Berliner Hinterhofwohnungen irgendwo zwi-schen Invalidenstraße und Pankow. Als Großvater 1977 starb, stand die mecklenburgische Kate erst einmal leer. Jens und Nicole hatten schon zu Opas Lebzeiten einige Wo-chenenden dort verbracht. Nun standen sie vor der Wahl, entweder die Kate an wohlhabende Ost-Berliner zu verkau-fen oder sie selbst zu nutzen. Sie entschieden sich für ein Leben auf dem Dorf. Ausschlaggebend dafür war ihr Unbe-hagen am hauptstädtischen Milieu.

Jens war eigentlich nach Ost-Berlin gekommen, weil er die Musikschule in einer anderen Stadt verlassen hatte: Är-ger mit Dozenten und Isolation unter seinen karriereorien-tierten Kommilitonen hatten ihn veranlaßt, sein Studium abzubrechen. In Ost-Berlin schlug er sich mit kleinen Jobs durch, lernte Nicole kennen und verkehrte in der Künstler-boheme vom Prenzlauer Berg.

Nicole stammte aus besten sozialistischen Verhältnissen. Ihr Vater war SED-Mitglied, ihre Mutter arbeitete beim Kulturbund. In der Schule war sie begeisterte FDJ-Sekretärin ihrer Klasse gewesen, hatte Schülerwettbewerbe, eine Moskaureise ihrer Schulklasse und Feten im Jugendklub organisiert.

Als Nicole fünfzehn war, änderte sich das. Ihr Engagement erlahmte in dem Maße, wie sie unter den FDJ-Jugendfreunden Strebertum und Heuchelei bemerkte. Wer auf die gymnasiale Oberstufe wollte, war scharf auf gute Beurteilungen und verhielt sich dementsprechend. Nicole war geschockt. Ihr wurde klar, daß man etwas verändern müsse: daß der Zugang zur Oberstufe besser nicht an politische Anpassung geknüpft sein solle, daß politisches Engagement nicht in dieser Weise belohnt werden dürfe, daß es freiwillig bleiben und somit die echt Überzeugten anziehen müsse, denn nur die könnten andere wirklich überzeugen.

Nicole war hartnäckig, sie konfrontierte die FDJ-Leitung mit ihren Ideen und stellte sie auch in ihrer Klasse zur Diskussion. Den Leuten von der Leitung paßte das nicht, sie witterten Aufruhr und Abweichung. Ihr Vorschlag: Wahl einer neuen FDJ-Leitung in Nicoles Klasse. Das ließ sie sich nicht bieten, und so kam es zu dem seltenen Fall, daß zwei Wahlvorschläge gegeneinander standen. Nicole gewann die Wahl, die Leitung war sauer und alarmiert.

Mit sechzehn ging Nicole von der Schule ab und begann eine Ausbildung als Kindergärtnerin. Ihr Verhältnis zu den Massenorganisationen, der FDJ und später der Gewerkschaft, verschlechterte sich immer mehr. Als sie zwanzig war, lernte sie den Musikstudenten Jens in Ost-Berlin kennen. Die beiden zogen zusammen.

Schnell entdeckten sie eine neue Gemeinsamkeit: ihre Abneigung gegen die «Szene». Jens mochte die Stimmung der Subkultur vom Prenzlauer Berg nicht, er kannte das aus seiner Zeit an der Musikschule – «Abfahren auf halbgar nachvollzogenen Moden aus dem Westen», «egozentrische Selbstdarstellung» warf er etlichen Künstlerkollegen vor. Hinzu kam die Boheme-Atmosphäre, deren Eintrittspreis die radikale Isolation von der Normalwelt war. Das alles paßte ihm nicht, und Nicole war das erst recht zuwider.

Trotz aller FDJ-Enttäuschungen hatte sie sich einen Kanon sozialistischer Grundüberzeugungen bewahrt. Ihren Moralvorstellungen widersprach vor allem der Zynismus, mit dem sie bei Künstler-Feten oft konfrontiert wurde.

Die mecklenburgische Kate erschien beiden als willkommener Ausweg. Jens stürzte sich in die Renovierung und den Ausbau des alten Hauses, flickte das Reetdach und richtete den verfallenen Schuppen her.

Trotz kleiner Querelen haben sich die beiden im Dorf eingelebt. Jens lernte Leute kennen, die ihm helfen konnten – Künstler, die aufs Land gezogen waren wie er, einen rührigen und aufgeschlossenen Kulturbundmann aus einem Nachbarstädtchen, den jungen Pastor. Zusammen mit dem örtlichen Jugendklub und dem Freund vom Kulturbund organisierte er Gesang- und Ballettkurse, die er jetzt schon im dritten Jahr leitet. Mit dem Pastor bereitet er Liederabende in der Kirche vor, zu denen manchmal bekannte Liedermacher eingeladen werden und die als Abwechslung gegenüber der Samstagabend-Disko von den Dorfjugendlichen gut besucht sind.

Solche Initiativen sind gefährdet, wenn sie zuviel Öffentlichkeit erreichen. Ängste konservativer Kommunalfunktionäre werden geweckt. Jens weiß das. In seinen politischen Ansichten hat er sich wenig verändert. Er spricht illusionslos über Enge und Zensur, hält aber noch immer nichts vom Aussteigen in die Subkultur.

Seit einem Jahr überlegt er sich sogar, ob er nicht in die Partei eintreten sollte. Einige seiner Freunde sind Genossen, und Jens findet, daß dort viele gutinformierte und reformwillige Leute sitzen. Wenn man was erreichen wolle, so meint er, müsse man schon ins Zentrum gehen, dahin, wo alle wichtigen Entscheidungen fielen und die kompetenten Leute säßen. Und das sei nun mal immer noch die SED.

Nicole will davon nichts wissen. Sie hat einen Job bei der Gewerkschaft bekommen. Dort organisiert sie Gruppenreisen für Betriebe ins sozialistische Ausland. Für Politik ist sie nicht mehr zu haben, sie hat sich von ihrer Vergangenheit als

FDJ-Funktionärin gradlinig entfernt. Am liebsten würde sie nach Ungarn auswandern.

Horst

Ein Wohnzimmer in Weimar. Die erste Kiste Radeberger Pilsener ist schon leer, allmählich läßt man die Meinungshüllen fallen. Die Gastgeberin hat Sorgen. Ihr Mann, ein geachtetes und gutbezahltes Glied der Gesellschaft, sei verrückt geworden. «Zur Reservistenübung will er nicht einrücken! Stellt euch mal vor, was das heißt!»

Vor zwei Jahren war Horst noch hingegangen, maulend zwar wie alle. Jetzt sitzt er auf dem Sofa und betrachtet milde lächelnd seine hysterische Frau und die erschrockene Freundesrunde. Ja, er denke da an so ein paar amerikanische Filme, da sei das beschrieben, wie ihm zumute sei: «Irgendwann sagt ein Mann ‹Nein›. Stellt sich gegen alle anderen und geht seinen Weg.»

Sicher, er könnte so weitermachen. Ein paar von den Wohnzimmermöbeln sind alt und echt, und der Einkauf im «Ex» (Exquisit-Shop) ist immer drin. Horst liebt sein Hobby, fährt mit Gattin zweimal pro Jahr «anständig in Urlaub». Die ergänzt: «Und jetzt haben sie ihm auch noch gesteckt, daß er bei der Reserveübung im Sommer einen ganz bequemen Job haben kann, sogar zwischendurch immer mal nach Hause kann er! Ist das nicht Wahnsinn, was Horst sich da zurechtspinnt?» Hilfesuchend blickt sie sich im schweigenden Kreis um.

Vor einer Stunde hatte sie noch ganz anders geredet. Aber da ging es ja auch um Politik allgemein. Da konnte sie den jungen Pfarrer noch verstehen, der für Veränderungen in kleinen Schritten plädierte.

«Wenn doch bloß mal einer Haltung zeigen würde», hatte der Pastor geschwärmt, «das könnte so vieles verändern.» So wie sein Onkel Karl. Der sei nämlich Meister in einem Metallbetrieb, und neulich sei man an ihn herangetreten.

106

Die Meister sollten jetzt alle Genossen werden – eine Selbstverpflichtung als sozialistische Brigade, Verfügung von ganz oben. Aber er wisse doch, daß er Christ sei, habe Onkel Karl dem Kaderleiter geantwortet, und das vertrüge sich doch nicht. «Mensch, Karl, ist doch wegen dem sozialistischen Wettbewerb, verstehst du. Nun tu uns doch den Gefallen.» Aber Karl sei stur geblieben. Das hätten die dann eben irgendwann geschluckt, und seither hätten die ganz schön Manschetten vor Onkel Karl.

Horst hatte die Geschichte gefallen, die Freundesrunde hatte säuerlich dreingeschaut. Die Stimmung ist hin an diesem Abend. Daß einer in der Runde ernst machen könnte mit seiner Kritik, darauf war keiner gefaßt.

Hermann hat die ganze Zeit gar nichts gesagt. Er ist Arzt und sonst gesprächiger. Manchmal flucht er auf die anstrengende und schlecht bezahlte Arbeit in seiner Klinik. «So gut wie du möchte ich es mal haben», sagt er dann zu Hans-Joachim. Der hat sich nämlich selbständig machen können. Seit Jahren schon hat er seine eigene Kneipe, und die geht sehr gut. Seine Frau hilft mit aus. Hermanns Frau ist nicht berufstätig – ein seltenes Privileg, selbst für eine Mittelschichtfamilie.

Der Kneipier versucht seinen Freund Horst von der Idee, nicht zur Reservistenübung zu gehen, abzubringen. Das sei doch Wahnsinn. Was er sich davon verspreche – Horst würde seine Stellung verlieren, wenn nicht Schlimmeres. «Und kein Schwein interessiert das, was du vorhast!» Er kenne das aus seiner Kneipe. «Da hecken sie noch ganz andere Pläne aus, wenn sie ihre Biere intus haben. Aber du mußt doch wissen, was der Unterschied ist zwischen Suff und Wirklichkeit.» Außerdem versteht Hermann nicht, was Horst gegen die paar Wochen Reserve hat – «das ist im Westen auch nicht anders».

Bei diesem Stichwort hakt der Pastor ein. Er ist eigentlich mehr zufällig da und hat sich zurückgehalten, als es persönlich wurde. «Das ist es ja gerade», sagt er, «wir rüsten, weil der Westen rüstet, und drüben sagen sie es umgekehrt. Ich kann nur den Hut ziehen vor jedem hier und vor jedem drüben, der da aussteigt.» Der junge Theologe zieht mit seiner Bemerkung alle Aggressionen auf sich. «Ihr habt gut reden», fährt ihn Hermann an, «euch passiert ja nichts. Ihr habt ja nicht nur Gottes Segen, sondern auch den von Erich!»

Hermann regt sich so auf, weil seine Tochter mal Ärger hatte. Sie geht zur Jungen Gemeinde und wurde, als sie damals den «Schwerter-zu-Pflugscharen»-Aufnäher auf dem Ärmel trug, auf der Straße angehalten, in einen Wartburg der Vopo geholt und mußte auf der Stelle das Ding abtrennen.

«Und wißt ihr, was ich einen Monat danach erlebt hab'?» fragt er die Runde. Bei einem Ausflug nach Ost-Berlin hätte er mit Frau und Tochter den «Palast der Republik» besucht. Im Foyer sei eine international zusammengesetzte Gruppe gewesen, alles Kirchenleute. Eine Frau von denen, offensichtlich DDR-Bürgerin, habe das Abzeichen auch getragen, so daß einer von der Aufsicht und ein Ziviler sie angesprochen hätten. «Da bin ich näher hinzugetreten», erzählt Hermann, «weil ich sehen wollte, was der passiert. Die Frau zieht irgendeinen Ausweis aus der Tasche und läßt die beiden einfach stehen. Und die ziehen ab!» Hermann ist empört. Da sehe man doch, was es mit der Kirche auf sich habe – die selbst lasse man in Ruhe, und die Jugendlichen müßten es ausbaden. Das solle sich Horst mal überlegen.

Horst hat sich alles ruhig angehört. «Was ihr da sagt, stimmt vielleicht», sagt er, «aber was die Leute bei dir am Tresen reden, Achim, oder was mit der Kirche los ist, ist eine Sache; das, was mir durch den Kopf geht, ist eine andere.» Er habe sich das alles reiflich überlegt. Schon länger habe er das Gefühl, sein Leben sei im großen und ganzen gelaufen. Er käme sich manchmal vor wie ein Frührentner mit seinen 37 Jahren, seiner Berufsroutine und seiner Lebensstellung. Deshalb sein Entschluß und dabei bliebe er. Am anderen Morgen schreibt Horst den Brief an das Wehrbezirkskommando.

Sid

Es ist noch nicht Feierabend im Betrieb, als Sid den grauen Barkas von der im gleichen Stadtteil gelegenen Metallwarenfabrik langsam an die Laderampe heranrollen sieht. Von seinem Fenster im ersten Stock kann er das Treiben der drei Gestalten dort unten gut überschauen. Außer dem Fahrer hantieren da ein Vorarbeiter und der Meister. Die beiden hatten schon des Morgens ihre Wartburg-Kombis vorsorglich an der Rampenseite geparkt. Jetzt verladen sie die Kisten.

Sid weiß auch, was drin ist: Werkzeuge, die der Barkas-Fahrer in seinem Betrieb hat mitgehen lassen. Dafür gibt es hier Elektroteile. Nach fünf Minuten Arbeit und flüchtigem Händedruck zum Abschied gibt der Barkas wieder Gas und fährt vom Hof. Das war's für heute.

Sid weiß, in den nächsten Tagen wird es ein anderer Transport sein, der eintrifft, mit anderen, ebenso begehrten Waren, die der Meister und seine Leute unters Volk bringen und in klingende Münze verwandeln. Als Gegenleistung zweigen sie regelmäßig von der eigenen Produktion etwas ab. Wer renoviert, ein Haus baut oder an der Datsche bastelt, kann immer was aus des Meisters Lieferpalette gebrauchen. Das lief schon so, als Sid hier anfing, und jeder im Betrieb weiß im Prinzip darüber Bescheid.

«Die Brigade muß für den Meister klauen gehen, keiner kann was dagegen sagen, weil der einen Verwandten unter den Leitern des Betriebs hat, der offenbar auch Dreck am Stecken hat, der aber soviel Macht hat, daß alle schön buckeln und kriechen», erzählt Sid. «Wer nicht spurt, den machen sie hier fertig, der kommt dann vielleicht an irgendeinen anderen Arbeitsplatz und kann dann sehen, wie er zurechtkommt. Die haben eben die Macht, die anderen sind die kleinen Arschlöcher.»

Sid ist nicht wütend darüber, weil er total gegen das Klauen eingestellt wäre. Aber «daß dies alles passiert, ohne daß irgend so'n Bulle einschreitet», das bringt ihn auf die Palme.

«Klar fliegt mal hier und da was auf, liest man ja in der Zeitung auch gelegentlich, doch daß es praktisch überall so läuft, und keiner stört sich daran, das ist nicht korrekt.»

Neulich ging Sid nach der Arbeit über die Greifswalder Straße. Zwischendurch telefonierte er kurz, um sich mit seinen Freunden zu verabreden. Vor der Zelle ging ein uniformierter Mann auf und ab. Erst dachte Sid, der wolle als nächster telefonieren. Als Sid aus dem Häuschen trat, hieß es: «Schönen guten Abend, dürften wir mal Ihren Ausweis sehen, was sind denn das für Abzeichen? Steigen Sie mal in den Wagen ein!»

Unversehens fand Sid sich auf der nächsten Polizeiwache wieder. Auf der Fahrt dorthin mußte er sich Sprüche anhören wie: er solle nicht so rumgammeln, sondern lieber richtig arbeiten gehen, Typen wie seinesgleichen würden dauernd in der Gegend alles demolieren, er habe ja gerade auch so komisch in der Telefonzelle rumgehangen und Sprüche in den Lack gekratzt.

Auf dem Revier wurde er zwei Stunden festgehalten, die meiste Zeit davon wartete er, ansonsten verhörten sie ihn, ob er über Sachbeschädigungen und sonstige Umtriebe in seinem Wohnviertel etwas wisse. Es war schon dunkel, als er endlich nach Hause durfte. Darum ist Sid so wütend: Punks wie er gelten unbesehen als kriminell, während in seinem Betrieb – wie in vielen anderen – die wirklichen Gauner unbehelligt rumlaufen.

«Diese Wichser! Haben nichts Besseres zu tun, als mich wegen meiner Kleidung, meiner Andersartigkeit im Äußeren, dauernd anzumachen. Meinen Meister und die anderen Oberen, die echt gemeine Dinger drehen, die überwachen sie nicht, aber uns machen sie fertig. Dabei brächte das viel mehr, wenn sie so'n ganzes Kombinat mal mit auf die Wache zum Verhör nehmen würden.»

Später am Abend geht Sid zu seinen Freunden. «Die wohnen echt verschärft, da könnten sich die Bullen geil dran hochziehen.» Die Wände der Zwei-Zimmer-Wohnung sind über und über beschmiert: «Planerfüllung? – Aber klar doch!» ist da zu lesen, oder: «Arbeiterbeton mit Weltniveau» und «Lieber sterben als genormt sein».

Die Räume sind leer, Konservenbüchsen und Bierflaschen liegen auf dem Boden, der ansonsten mit Propaganda-Utensilien der FDJ und SED übersät ist: kleine DDR-Fähnchen, Parteiabzeichen auf Pappe, DDR-'30-Sticker. An der Wand hängt ein Honecker-Bild, die Küche ziert als einziger Einrichtungsgegenstand ein altes riesengroßes Schild «Ewiger Bruderbund ...» Das Außenklo, eine halbe Treppe tiefer, ist mit diversen Ausgaben des «Neuen Deutschland» tapeziert. Aus einem Tonband, dem das Chassis fehlt, dröhnt wilde Musik. Eine Parkbank dient als Sitzgelegenheit.

Nach und nach treffen die Leute ein. Jeder hat heute so seinen Ärger gehabt. Der Wohnungsinhaber mußte zum wiederholten Mal zur Kommunalen Wohnungsverwaltung, denn der Abschnittsbevollmächtigte hat ihn wieder einmal dort angeschwärzt. «Der Geier will am liebsten, daß ich hier verschwinde, damit er mit den anderen Spießern wieder seine Ruhe hat.»

Carlos erzählt, daß man ihm in der Schule ein Ultimatum gestellt habe: Entweder zieht er ab sofort die Punk-Klamotten aus, oder er muß mit ernsthaften Konsequenzen rechnen. «Aber die hab' ich einfach abfahren lassen.» Winny erging es schlechter, er hat seinen ersten Tag bei der S-Bahn nicht überstanden. «Aber das mit der Uniform war mir echt zu blöd. Ohne Uniform is' aber nicht, haben 'se gesagt. Na dann eben nicht.»

Ronni hat wieder einmal Zoff mit seinen Eltern. Der Vater hatte am letzten Wochenende einige Parteifreunde zu Gast und wollte einen netten Abend mit ihnen verbringen. Doch der Sohn benahm sich daneben, die hohen Gäste mußten miterleben, wie die Polizei den betrunkenen Filius im Hausflur ablieferte, wo er – kam jemand ihm zu nahe – weiter randalierte. Sein Äußeres stimmte die Genossen nicht gerade zukunftsfroh: In der Nase hatte Ronni eine Diode stecken, den halb kahlrasierten Schädel zierten gelbe und pinkfarbene Haarstreifen. Der Vater, ein bekannter Psychologe, war außer sich und drohte seinem eigenen Sohn mit dem Jugendwerkhof.

Mick und «Fetzer» sind auf offener Straße angemacht worden. Erst von «so Kneipentypen», dann von «den Bullen». Angetrunkene ordentliche Bürger mischen Punks ab und zu ganz gerne auf. «Selbst wenn bei sowat 'n Bulle danebensteht, sagt der garantiert nichts und sieht ungerührt zu, wie sie einen fertigmachen. Der denkt nicht dran, einzugreifen», beklagt sich Mick.

«Fetzer» ist auf die Bullen sauer. «Mir haben sie alle Klamotten abgenommen. Das T-Shirt, das ich gerade neu bemalt hatte, den Plastic und mein Lederarmband mit den Nieten dran. Die sagten einfach, das sei eine Waffe. Dann haben sie mich von oben bis unten fotografiert, meine Sprüche auf der Jacke und alle Abzeichen. Alles wurde fein säuberlich notiert, damit sie es mir wohl eines Tages auf einen Schlag vorhalten können.» Einige der in mühevoller Kleinarbeit hergestellten Abzeichen mußte er auf der Wache lassen.

Solche Querelen kommen ständig vor bei Sid und seinen Freunden – nichts Besonderes. Andere Punks haben härtere Erfahrungen hinter sich. Die Ordnungshüter sehen mitunter Neofaschisten in ihnen. «Klar, das hat's gegeben, daß einige von uns schon mal auf der Straße, wenn so'n Spießer vorbeikam, ‹Heil Hitler› brüllten, damit der ordentlich zusammenzuckt und schnell das Weite sucht.» Aber solche Sachen seien eigentlich verpönt, auch wenn man die Leute damit «immer tierisch schocken» könne. Mit dem Hitlergruß – die denkbar schärfste Provokation in der DDR – «haben aber auch die Kneipentypen, Knastleute oder andere Jugendliche alle schon mal gespielt».

Am 8. Mai 1983 wollten einige Ost-Berliner Punks einen Kranz für die Opfer des Faschismus im KZ Sachsenhausen niederlegen. Mick war auch dabei. Stunden vorher hatte eine Gruppe von Schwulen ähnliches erfolglos probiert. Auch die Punks wurden abgewiesen, gaben jedoch nicht auf und zogen zur Wache «Unter den Linden». An den strammste-

112

henden Soldaten vorbei ging es in die allerheiligste Gedenkstätte der DDR. Dort legten sie einen Kranz nieder mit der Schleife «Die Punks von Berlin». Was Mick erzählt, gefällt den anderen, hat man auch sonst mit Politik nicht viel am Hut, in die Neofaschismus-Ecke will man sich vom Staat nicht stellen lassen.

Für Sid ist das alles «irrsinnig widersprüchlich», wie mit seinesgleichen im Lande umgesprungen wird. «Dauernd steht in den Zeitungen, Tausende von Bürgern bekundeten ihr Vertrauen in die Regierung oder so ähnlich. Aber daß die Regierung mal in uns Vertrauen hat, das merkt man absolut nicht, davon liest man natürlich auch nie was. Da ist doch gehörig was falsch!»

Lange Diskussionen gibt es unter den Freunden aber nicht. Man fühlt und denkt so ungefähr gleich, über Ablehnung und Zuneigung gegenüber den Dingen der Außenwelt herrscht ein unausgesprochenes Understatement.

Lebhafter wird das Gespräch, wenn es um Musik geht. Sid träumt von einem gigantischen Punkkonzert im alten Gasometer vom Prenzlauer Berg. Bisher ist die Truppe aber nur auf einigen privaten Feten aufgetreten. Eine befreundete Punkgruppe ist nach einem öffentlichen Auftritt bei der Bluesmesse im Juni verhaftet worden. Zwar hat kaum jemand im Publikum die Texte verstanden, aber die Stasi hatte vermeintlich Staatsgefährdendes mit empfindlichen Richtmikrofonen herausgehört. Das hat alle mächtig schokkiert.

Sid und seine Freunde sind froh, überhaupt einen provisorischen Übungsraum zu haben, darum werden sie von manchen anderen beneidet. «Was im Westen Kult ist – der versteckte und unzugängliche Übungsraum im Betonsockel einer Autobahnbrücke – ist für uns schlichte Notwendigkeit, die Abschirmung von der Außenwelt, unser Raum, der so ist, wie wir ihn bestimmt haben.»

Da geht es dann diesen Abend auch noch hin. Ronni hat ein neues Mikro ergattert, das muß unbedingt ausprobiert werden. Es klappt nicht alles sofort, das tut der Stimmung keinen Abbruch. Alles ist fröhlich und kichert. Einige Mädchen sind noch gekommen. Dann legen Sid, Ronni, Carlos, Mick und «Fetzer» los. Die anderen können nicht alles verstehen, aber das ist nicht wichtig. «Hauptsache der Rhythmus stimmt und die Sache ist ehrlich», meint später eines der Mädchen. Carlos und Sid geben ihr Bestes.

«Du sagst laß uns
doch noch mal
in die Kneipe gehen
und es war schön.
Einige Getränke zu uns nehmen
und danach
sieht alles anders aus.»

Die Musik dazu ist schnell, hart und aggressiv. Im Gespräch über die DDR-Rockmusik sind sich alle einig: Die sei lauwarm, halbgar und ohne echtes «feeling». «Rockmusik hat doch was damit zu tun, daß in einem so etwas wie Energie freigesetzt wird, daß so'n Lebensgefühl angesprochen wird, und das haut irgendwie nicht hin, bei dem, was die staatlich anerkannten Gruppen wie Karat, City oder die Puhdys da zustande bringen. Das ist alles schrecklich künstlich», mault Sid.

«Irgendwo stirbt so'n Schwan oder jemand tanzt mit sich selbst schon im Fieber und muß über irgendwelche Brücken gehen. Alles Unsinn, das macht niemand an. Die machen das so, damit sie nirgendwo anecken, um ihre Knete zu verdienen. Wenn jemand Punkmusik macht oder so, dann steht der echt dahinter, das merken auch die Zuhörer, daß es ehrlicher ist. Da können die großen Bands noch so gut sein, ein Diplom haben, studiert sein und noch so geil auf'm Schlagzeug rumknüppeln, aber da kommt trotzdem nichts rüber.»

Der Abend ist noch lang, manche Stücke werden regelrecht eingeübt, andere entstehen wie's gerade kommt. Die Texte, findet Sid, sind nicht einmal das Wichtigste, sie handeln von Alltagssituationen, Erlebnissen am Currystand, in der U-Bahn, bei Ausweiskontrollen, von seinem Meister oder der Plastikwelt.

114

Effektivität
Produktivität
Null-Diät Null-Diät
Mein Lebensplan
fing vor der Geburt schon an
Mein Eheglück
schlägt zurück
Roboter und Kameras
haben mich gefragt
Das ZK hat JA gesagt
Mein Herz schlägt schneller
Das ZK schreit greller
Die Nacht wird heller
Kein Platz Kein Platz
im Luftschutzkeller
Ich sag Freundschaft
Ich sag Freundschaft
Freund schafft Freund schafft Freund schafft Freund
Freundschaft Freundschaft

Ein anderer Song hat den Titel «Einen Industrieroboter zum Entkuppeln der Förderwagen, der hydraulisch und mit mikroelektronischer Steuerung arbeitet, entwickelte das Jugendforscherkollektiv Schulze vom Bergbaubetrieb Schmirchau!» Er entstand frei nach einer «news» in der *Jungen Welt*, grinst Sid:

Arbeitskräfte eingespart
mit dem neuen Exponat
Dem 1. Sekretär
fällt es gar nicht schwer
Jeder jeden Tag mit guter Bilanz
Jeder jeden Tag mit hängendem Schwanz
Arbeitskräfte Nutzeffekt
Jugendbrigade Sigmund Jähn ist weg
Vom 2. Sekretär
hört man überhaupt nix mehr
Jeder jeden Tag mit guter Bilanz
Jeder jeden Tag mit hängendem Schwanz
Arbeitskräfte Abenteuer
sind dem 3. Sekretär nicht geheuer
Arbeitskräfte arbeitslos
findet der 4. Sekretär famos
Jeder jeden Tag. . .

115

Nach einer Weile hat Sid keine Lust mehr, weiterzuspielen. So sitzen alle noch zusammen, erzählen dies und das. Ronni erzählt vom Punk-Festival, daß in zwei Wochen in Gera stattfinden soll. Da sollen auch Super-Acht-Filme gezeigt werden. Man überlegt sich, ob alle zusammen dahin fahren können. Da es mitten in der Woche ist, verabschiedet sich Sid bald und läßt die Gruppe noch in eine Kneipe ziehen, der einzigen in der näheren Umgebung, wo sie noch bedient werden.

Auf dem Nachhauseweg in der Dimitroffstraße hält neben Sid ein grün-weißer Wagen. «Guten Abend, dürften wir mal den Ausweis sehen?...»

Es geht harmlos ab, nur noch eine weitere halbe Stunde Verspätung, mit der Sid sich endlich ins Bett fallen läßt. Er stellt sich noch schnell die Wecker auf fünf Uhr, er hat sich gleich zwei direkt neben seinem Kopfkissen installiert, damit er nicht verschläft. Der Meister hat ihm schon angedroht: Ordnung müsse sein, und wenn er noch einmal zu spät komme, dann ...

6
«Zahlen und dann raus»

Die Homosexuellen

Am Sonntag, den 25. April 1983, findet in Leipzig ein ungewöhnliches Ereignis unter Ausschluß der Öffentlichkeit statt, keine Zeitung der DDR wird am nächsten Tag darüber berichten: An diesem Abend versammeln sich knapp dreihundert Homosexuelle, um über ihre Situation und ihre Probleme im real existierenden Sozialismus zu diskutieren.

Die Stimmung im Saal des kirchlichen Gebäudes ist zu Beginn reichlich verkrampft. Unsicher, verlegen mustert einer den anderen. Doch das ändert sich rasch, als der erste ans Rednerpult tritt. Er referiert die gängigen Vorurteile gegen Schwule in Deutschland-Ost und trifft die Stimmung. Er verlangt Freiheit für «verantwortlich gelebte Partnerschaft» und fordert die Anwesenden auf, «zäh und geduldig für eine größere Toleranz zu arbeiten». «Für viele war das wahnsinnig befreiend», sagt Bernd, der das Treffen organisiert hat.

Noch am selben Abend bilden sich Schwulenzirkel. Ihr Ziel: In Selbsterfahrungsgruppen wollen sie Gleichgesinnte, die bisher ihre Homosexualität verdrängt oder versteckt haben, dazu bringen, sich zu ihrem Anderssein zu bekennen. Man trifft sich in kleinen Kreisen, erzählt von seinem persönlichen Werdegang, von seinen Erfahrungen mit der Umwelt – in der Familie, am Arbeitsplatz, in der Nationalen Volksarmee, in der Öffentlichkeit.

Die Leipziger Homosexuellen sind nicht die ersten, die sich in der DDR zusammengetan haben, um ihr eigenes Bewußtsein und das ihrer Gesellschaft zu verändern. Bernd brachte die Idee aus Ost-Berlin mit, wo Freunde schon im Januar 1982 ein solches Schwulen-Treffen zustandegebracht hatten. Raus aus den ungemütlichen Nischen wollen nicht nur Leipziger und Ost-Berliner Homosexuelle. Schwulengruppen existieren inzwischen auch in Eisenach, Erfurt, Eisleben, Halle, Dresden, Magdeburg und Karl-Marx-Stadt.

Die Berliner Begegnung setzte bei Null an, ihr Motto: «Kann man denn überhaupt darüber sprechen?» Der Andrang war, wie später in Leipzig, enorm. Die Teilnehmer mußten in einen größeren Raum umziehen. Etwa die Hälfte gab sich im Lauf des Abends als schwul zu erkennen.

Ein Facharzt für Neurologie und Psychiatrie rückte erst einmal ein paar Tatsachen zurecht: Homosexualität sei keine Krankheit, die man heilen müsse. Es gehe nicht darum, Schwule «umzukehren», die Therapie müsse vielmehr dazu helfen, Konflikte, etwa mit Partnern, zu lösen, ganz so wie bei Heterosexuellen auch.

Ein anderer sagte, nach einer Schätzung seien etwa fünf Prozent der Menschen homosexuell – zu allen Zeiten und in allen Völkern und Kulturen. Es handele sich um eine Minderheit, die oft und überall übersehen werde, weil sie sich zurückziehen, verstellen und verstecken müsse – auch in der DDR, obwohl dort der Paragraph 175 schon seit 1968 abgeschafft ist. «Fünf Prozent, das bedeutet: Jeder Zwanzigste, dem man begegnet, ist ein Homosexueller. In einem vollen Berliner S-Bahnwagen ist man vielleicht mit zehn bis fünfzehn homosexuellen Mitmenschen zusammen. Verdrängen nützt nichts, es wird Zeit, endlich offen darüber zu reden.»

Der Appell wirkte. Viele Betroffene meldeten sich zu Wort und berichteten über ihre bösen Erfahrungen. «Theater und eigene Gaststätten sind gesuchte Schonplätze für uns», sagte einer, «aber was in anderen Bereichen geschieht, ist oft schrecklich.»

Daß Schwulsein in der DDR-Gesellschaft, in der die Mehrheit nach dem Motto «bloß nicht auffallen» lebt, mit erheblichen Problemen belastet ist, räumt auch die FDJ-Zeitung *Junge Welt* ein. Homosexuelle würden noch immer in erheblichem Maße diskriminiert, schrieb das Blatt im Juni 1982, obwohl ihre «Veranlagung» schon seit langem nicht

118

mehr strafrechtlich geahndet werde. Hänseleien seien «noch das kleinste Übel». Nicht selten werde in Arbeitskollektiven gefragt, ob «so ein Kollege» diese oder jene Funktion übernehmen könne. Vom Normalbürger werde diese Veranlagung als «unmoralisch und krankhaft» verurteilt. Die *Junge Welt* bezog sogar Position: Es sei weder erwünscht noch notwendig, Homosexuelle «heterosexuell umzufunktionieren».

Doch solche Artikel sind die Ausnahme. In den ostdeutschen Medien ist das Thema weithin tabu, Aufklärung findet nicht statt. «Zwei- oder dreimal», klagt ein Ost-Berliner Schwuler, «wurde was veröffentlicht, mehr hat man offenbar für uns nicht übrig. Dabei sagt man doch immer: Wie menschlich und gerecht eine Gesellschaft ist, gibt sie im Umgang mit ihren Minderheiten zu erkennen.»

«Schon von Kindheit an», sagt Bernd, «wird einem anerzogen: Das ist was Schlechtes, das kann nicht gut sein, das ist abnorm und pervers. Darüber hinwegzukommen ist unwahrscheinlich schwer. Damit das den Betroffenen erleichtert wird, haben wir in Leipzig solche Selbsterfahrungsgruppen gebildet, in denen wir unser coming out hinter uns bringen wollen. Wir wollen uns zu unserem Anderssein, zu uns selbst bekennen, damit wir schließlich selbstbewußter leben und die Probleme mit der Gesellschaft besser lösen können.»

Samstags hat Bernd manchmal Lust, mit seinem Freund durch die Leipziger Straßen zu bummeln. Dabei offen zu zeigen, was zwischen den beiden läuft, fällt ihnen sehr schwer. Bernd: «Der Paragraph 175 ist zwar offiziell abgeschafft, und ich werde nicht bestraft, wenn ich einen Freund habe, Hand in Hand mit ihm durch Leipzig gehe oder mich irgendwohin setze und ihm mal einen Kuß gebe. Doch die Wirklichkeit ist oft sehr hart für uns.» In einer HO-Gaststätte wurden die beiden diskret aber bestimmt hinausgeworfen, als sie zu eng zusammenrückten: «Sie wissen schon, warum, aber sowas läuft hier nicht, zahlen und dann raus!» Toleranz ist in DDR-Gaststätten nicht angesagt, und wer schon Ärger bekommt, weil er sich seinen Platz selbst ausgesucht oder Stühle verrückt hat, pocht nicht mit seinem schwulen Freund auf sein Recht, sondern geht lieber.

Doch Bernd glaubt, in jüngster Zeit ändere sich auch in dieser Hinsicht etwas in der DDR: «Man läßt sich nicht mehr so viel gefallen und gibt nicht so schnell klein bei. Hin und wieder sieht man in den Großstädten zwei Männer Hand in Hand auf der Straße gehen – nicht um zu provozieren, sondern weil sie selbstbewußter geworden sind.» «Sich ewig zu verstecken und zu verstellen bringt ja doch nichts ein. Die geltenden gesellschaftlichen Normen kann man eben letzten Endes nur durch eine Auseinandersetzung verändern, nicht durch Stillhalten. Sonst würde sich an unserer Situation hier auf Jahrzehnte nichts ändern.»

In Bernds Betrieb arbeiten überwiegend Frauen. Eine ganze Weile wollte er nicht zu erkennen geben, was mit ihm los war. «Als es schließlich rauskam, da konnten oder wollten sie es nicht glauben. Da waren die meisten wie vor den Kopf geschlagen und haben mich ein halbes Jahr lang geschnitten.» Einzelne verständnisvollere Kollegen halfen ihm dann nach und nach. «Sie sagten: Na, eigentlich ist er doch wie jeder andere auch, nun stellt mal das mit dem Sex nicht so in den Vordergrund.» Es kostete ihn viele geduldige Gespräche, bis er wieder einigermaßen anerkannt wurde: «Natürlich verstehen mich auch heute nicht alle, das ist mir klar. Aber ich kann ja auch nicht alle verstehen, warum und wie sie so leben.»

Andreas kommt aus Berlin. Da treffen sich die Schwulen in bestimmten Kneipen oder drücken sich verstohlen an Straßenecken, etwa der Schönhauser Allee, herum. Aufgewachsen ist er in einer Kleinstadt. «Das waren ungeheure Qualen, denn ich hatte zunächst selber genau das abstoßende Bild vom Schwulsein, das ja in diesem miefigen Milieu bei den meisten so als Vorurteil existiert. Ich mußte das so etwa fünf Jahre lang allein durchstehen, denn ich wagte nicht einmal, mit Familienangehörigen darüber zu reden. Die Beziehung zu meinem Freund pflegte ich damals absolut heimlich. Ich beschäftigte mich mit dem Schwulsein sehr viel in Gedanken, später auch in Briefen mit meinem Freund, sah auch mal was im Westfernsehen und besorgte mir Literatur darüber.»

Eines Tages fand Andreas dann den Mut, mit seiner Mutter zu sprechen und «es» ihr einzugestehen. «Sie reagierte unwahrscheinlich positiv und sagte: Eigentlich habe sie sich das schon die ganze Zeit gedacht, daß irgend etwas mit mir nicht stimme. Sie wollte nur, daß ich es ihr selber sage, damit sie nicht bei mir irgendwelches Porzellan zerschmeißt.»

Damit war für ihn ein erster Bann gebrochen. Andreas sprach auch mit anderen darüber und fand Verständnis – zumindest bei denen, die ihn persönlich gut kannten. «Mittlerweile ist es so, daß mich auch meine drei Brüder, die ich habe, akzeptieren. Die wissen Bescheid. Wenn ich nach Hause komme, und ich rufe vorher an, dann ist ganz klar, daß die Frage kommt: Bringst du deinen Freund mit? Der gehört für sie dazu. Innerhalb der Familie bin ich also voll und ganz akzeptiert. Auf der Arbeitsstelle ist es eigentlich genauso. Ich bin Kellner. Meine Chefin ist da ein bißchen freier gestimmt. Natürlich gibt's immer wieder Gäste oder Kollegen, die sagen: Du bist doch ein netter Kerl, versuch's doch mal mit einem Mädel oder so.»

Auch die evangelischen Kirchen, sonst ein Hort für Minderheiten und Outsider, tun sich mit den Homosexuellen schwer. Als eine Ost-Berliner Kirchenzeitung über die Bemühungen der Schwulen berichtete, sich zu organisieren, und provozierend fragte: «Sind wir bereit, einen homosexuellen Pfarrer, eine lesbische Katechetin zu ertragen?» gab es unter den Lesern einen Proteststurm. «Greuel», «Sünde», «Verführung» waren die Stichworte. Einer wetterte gegen «das zuchtlose Leben», ein anderer verurteilte schon die Frage der Kirchenzeitung als «frevelhaft». Fazit der Leserdebatte: «Homosexualität ist eine Perversion der Schöpfung.» Nach dem Willen Gottes könnten «nur Mann und Weib ein Leib sein, aber nicht Mann und Mann, nicht Frau und Frau».

121

Dennoch ermöglichte die Kirche auch den Homosexuellen den ersten Schritt in die Öffentlichkeit. Beim Erfurter Kirchentag im Juni 1983 durften die Leipziger und andere Homosexuelle aus dem Süden der DDR einen Informationsstand beim «Luthermarkt» aufbauen. Auf großen Tafeln wurde an die Ermordung Homosexueller in Konzentrationslagern erinnert, Fotos zeigten Frauen oder Männer Hand in Hand, Auszüge aus Briefen von Schwulen sollten die Besucher über die Probleme dieser Minderheit aufklären.

«Anfangs haben wir die Leute vorbeiziehen lassen und uns unter sie gemischt», erzählt einer der Initiatoren, «das war recht interessant. Viele sind ganz schnell vorbeigegangen. Es gab auch welche, die sich offen beschwerten. Die glaubten wohl, der Satan streckt nun seine Hände auch noch ausgerechnet auf dem Kirchentag aus. Aber es gab einige, wo wir sofort gemerkt haben: Aha, der hat ein Problem auf dem Herzen, mit dem müssen wir reden. Dann haben wir ihn angesprochen und ihn gefragt, ob er Interesse hätte, mit ein paar Betroffenen zu reden.»

An ihrem Stand erlebte die Gruppe manchmal erschütternde Szenen. Etwa, wenn in ihrer Gesprächsecke ältere Männer unter Tränen erzählten, wie es ihnen seit Jahrzehnten auf diesem oder jenem Dorf ergehe, und daß sie nie gewußt hätten, an wen sie sich wenden könnten.

Resümee der Veranstalter: «Das war ein guter Anfang, der uns allen Mut gemacht hat, diesen Weg weiterzugehen» – wenn man sie läßt. Anders als in Erfurt durfte die Leipziger Gruppe bei anderen Kirchentagen ihren Infostand erst gar nicht aufbauen. Protestantische Moraltradition und aktuelle Kirchenpolitik kommen sich hier entgegen. Man vermeidet gleichermaßen unbequeme Nebenkonflikte mit dem Staat und die Brüskierung älterer Kirchgänger. Das Nachsehen haben die Homosexuellen, die wieder in die Heimlichkeit gedrängt werden.

Wie der Staat auf die Homosexuellen reagiert, sobald sie sich an die Öffentlichkeit trauen, mußte eine Ost-Berliner

Schwulengruppe erfahren, die am 8. Mai, dem «Tag der Befreiung» vom Hitlerfaschismus, einen Kranz im KZ Sachsenhausen niederlegen wollte. Die Männer hatte schon seit längerem geärgert, daß dort unter dem Dutzend Winkel-Symbolen, die früher den KZ-Insassen an die Kleidung geheftet wurden, um sie als «Jude», «Krimineller» oder «Geisteskranker» zu kennzeichnen, eines fehlte: der rosa Winkel, das faschistische Kainsmal für Homosexuelle.

Die meisten kamen mit der Bahn angereist. Doch am Ziel erlebten sie eine unangenehme Überraschung. Der Bahnhof war von zivilen und uniformierten Ordnungshütern abgeriegelt worden. Einer der Beamten erklärte, es gebe «für solche wie Sie» kein Recht, das ehemalige KZ zu betreten. Es sei das beste, sie führen mit dem nächsten Zug wieder zurück. Um der Drohung Nachdruck zu verleihen, kontrollierten die Polizisten Personalien, begleiteten einige der verhinderten Antifaschismus-Demonstranten auf der Rückfahrt, manche bis in ihre Wohnung.

Doch solche Ausklammerungsversuche der Schwulen von der gesellschaftlichen Wirklichkeit der DDR im Jahre 1983 erscheinen nicht nur anachronistisch, sondern auch reichlich hilflos. Die schwulen Männer schätzen ihre Stärke in der anderen deutschen Republik auf etwa eine halbe Million ein. Am neuerdings öffentlichen Auftreten zumindest einiger von ihnen finden sie nichts Sensationelles. Das weitere Versteckspielen, die Anpassungsversuche lohnen die Mühe nicht – «Das ist doch kein Leben», sagen sie.

«Da die Strafrechtsreform 1968 von keinerlei aufklärenden Maßnahmen begleitet wurde», schreiben sie in einer Veranstaltungseinladung im Oktober 1983, «reagieren viele Menschen immer noch mit Verachtung, Aggressionen und Distanzierung. Wir wissen, daß die meisten Homosexuellen in dieser schwierigen Situation ängstlich ihr Anderssein verbergen, sich ständig um Anpassung oder sogar um besondere Vorbildlichkeit bemühen. Nur wenige ringen um ein offenes, sinnerfülltes Leben mit sozialer Anerkennung als homosexueller Mensch . . . Viele von uns stehen diese Kämpfe nicht gesund durch, oft führt die Ablehnung der Gesellschaft zum Selbstmord.»

Darum sind es immer mehr, die aus diesem Doppelleben aussteigen, das «unerhörte Schweigen» brechen, um als emanzipierte Mitmenschen ins öffentliche gesellschaftliche Leben einzusteigen.

Sie machen sich in ihren hektographierten Texten Mut mit Zitaten von Rosa von Praunheim, dem exzentrischen westdeutschen Filmemacher, wie von Kirchenleuten und Schriftstellern. Sie laden zu ihren Veranstaltungen kirchliche wie staatliche Experten, um zu demonstrieren, daß sie sich nicht in irgendeinen Untergrund verziehen wollen. Am 1. Oktober 1983 referierte in Halle unter anderem die Leiterin der Ehe- und Sexualberatungsstelle an der Universitäts-Frauenklinik Leipzig. Es ging um die «psychosoziale Situation Homosexueller», um ein «Plädoyer gegen tiefsitzende Vorurteile».

Die Einladung dazu zierte ein bekannter Filmtitel: «Nicht der Homosexuelle ist pervers, sondern die Situation, in der er lebt.»

7
«Du bist eine Niete, Mann!»

Die sanfte Revolte der Frauen

Anna sieht auf die Uhr und steht auf. «Wir müssen los», sagt sie und schnappt sich ihre selbstgenähte Umhängetasche. Ihren Freundinnen hat sie von dem großen Frauentreffen in der Auferstehungskirche im Ost-Berliner Stadtteil Lichtenberg erzählt. Heute soll es laufen. Es ist der 17. September 1983.

Als Anna und ihre Freundinnen vor der Kirche ankommen, fällt ihnen eine etwas abseits stehende Gruppe von Frauen auf. Die Damen, alle so um die Vierzig, wirken mit ihren Nappalederjacken, farbigen Strickwesten und geföhnten Dauerwellen wie die Belegschaft einer HO-Kaufhalle beim Betriebsausflug.

In der Kirche geht es weniger frostig zu. Der öde Raum wird gerade mit Spruchplakaten ausstaffiert: «Redet!» und «Seid laut!» ist da zu lesen. Reden sollen heute Frauen, und das ganz unter sich. Es ist die erste große Veranstaltung in der DDR, die Frauen für Frauen selbständig organisiert haben. Etwa 500 sind erschienen, darunter viele mittleren Alters – es hatte geheißen, jede Frau solle versuchen, ihre Mutter mitzubringen. Mit dem «Laut sein» haben sie alle erstmal ihre Schwierigkeiten. Zögerlich und mühsam beginnen die Diskussionen in den Arbeitsgruppen, mit denen das Treffen anfängt. Unter der Orgelempore sitzen die, die über «Verharmlosung von Atomkriegsfolgen» sprechen. Im Gemeindesaal diskutieren sie über Friedenserziehung und in einem Seitenraum der sogenannten Winterkirche über «Frauen und Frieden». Im Kirchenschiff geht es derweil um «Feindbilder» und die Aktionen «Fasten für den Frieden».

Etliche Mütter sind zum Arbeitskreis «Friedenserziehung» gegangen. Da werden handfeste Sorgen besprochen. Was tun, wenn im Kindergarten zu Weihnachten Kriegsspielzeug verschenkt wird? Oder wenn im Elternaktiv kein Durchkommen ist? Einmal, so berichtet eine Mutter, habe sie versucht, im Elternaktiv solches Verschenken von Kriegsspielsachen in Frage zu stellen. Das sei kein Kriegsspielzeug, habe man ihr beschieden, sondern «militärisches Spielzeug»; es sei pädagogisch wertvoll, denn die Kinder müßten lernen, den Sozialismus später einmal zu verteidigen. Die aufmüpfige Mutter hatte schließlich ihr Kind aus dem staatlichen Kindergarten genommen und in einen kirchlichen geschickt.

Ein anderer Konflikt, so wird in der Arbeitsgruppe berichtet – ging versöhnlicher aus. Ein Kind sollte und wollte nicht zu allen Veranstaltungen der Kinderorganisation «Junge Pioniere» gehen. Anwesende Lehrer bestätigen, daß man das ruhig von Fall zu Fall je nach Lust der Kleinen entscheiden könne.

Unterdessen haben sich die Nappa-Damen auf die Gruppen aufgeteilt. Eine von ihnen meldet sich in der «Friedenserziehungs»-Runde zu Wort: Ob die anwesenden Eltern ihre Kleinen denn zu Außenseitern der Gesellschaft erziehen wollten, lautet ihre empörte Frage. Da sie auf wenig Verständnis stößt, geht sie zur nächsten Gruppe, die über Fastenaktionen berät. Auch hier fällt ihr eine intelligente Frage ein: Ob man nach so langem Fasten nicht ein wenig blöd im Kopf werde und überhaupt noch klar denken könne. Es bleibt unklar, was das eigentlich für Damen sind, die sich da so einmischen. Ungewöhnlich, ja «interessant» finden anwesende Frauen deren Diskussionsbeteiligung. Gewöhnlich sitzen die «Organe» stumm dabei und schreiben mit. Vielleicht sind die auffälligen Damen aber auch vom «Demokratischen Frauenbund», dem offiziellen Frauenverband der DDR, und wollen echt diskutieren.

Beim Podiumsgespräch, das nach den einstündigen Arbeitsgruppendiskussionen beginnt, geht es um das Verhältnis von Gefühl und Vernunft in der Friedenspolitik. Das Argument, die Hochrüstung sei ausschließlich von einer typisch männlichen Rationalität bestimmt, gilt den hier versammelten Frauen viel. Ganz so, wie es bei Christa Wolf nachzulesen und bei westlichen Frauenveranstaltungen zu hören ist.

Das Drumherum des Frauentreffens wirkt eingespielt, es hat nicht mehr den Beigeschmack von Katakomben-Freiheit und Untergrund-Abenteuer. Grafiken werden versteigert, um Geld für Inhaftierte zu bekommen, Lieder werden vorgetragen und zum Ausklang eine feministisch-pazifistische Predigt. Jesus, der den Blinden und den Taubstummen ihre Sinne zurückgibt, ist das Thema. An Christa Wolfs Kassandra-Mythos fühlt sich eine Frau dabei erinnert – beide Male geht es um das Sprechen der zuvor Stummen. Das trifft die Stimmung der versammelten Frauen.

Für Anna und ihre Freundinnen steht am Ende fest, daß sie sich mit weiteren Bekannten zu einer Frauengruppe zusammentun werden. Vor zwei Jahren war ein ähnlicher Versuch gescheitert. Damals hatten feministische Bücher und Zeitschriften aus dem Westen kursiert. «Das war mehr ein Nachahmen», sagt Anna heute. Sie hätten mit dem aggressiven Feminismus dann aber doch nichts anfangen können, und so sei eben keine Gruppe zustandegekommen. Diesmal nun scheint die Frauenbewegung aus der Friedensbewegung hervorzugehen, der Kampf gegen die Männer ist offenbar als Motiv nicht hinreichend für die DDR-Frauen.

Das fiel schon bei der Ost-Berliner Friedenswerkstatt am 3. Juli 1983 auf. «Wir sind Lesben – wir sind viele – für den Frieden» lautete der Spruch am Lesben-Stand. Halstücher wurden gegen eine Spende abgegeben – mit dem Aufdruck «Frieden». Neben dem Info-Tisch der Lesben hatten noch die «Frauen für den Frieden» einen Stand aufgebaut. Kritik an männlicher Vorherrschaft gab es auch: «Wir lesbischen Frauen sind in einer sich noch immer an Männern und Männlichkeit orientierenden Gesellschaft noch diffizilen Formen der Diskriminierung ausgesetzt. Wir wollen und können einer vollständig auf das Leben in Ehe und Familie ausgerichteten Sozialpolitik nicht länger durch Schweigen unsere Zustimmung geben.» Den männlichen Vertretern der Kirchenleitung war das zu «propagandistisch».

Zum großen Treffen in der Auferstehungskirche erschienen auch Männer – sie machten sogar ein Drittel der Anwesenden aus. Einer von ihnen hatte sich Frauenkleider angezogen. Er wollte das Ganze lächerlich machen, wurde aber nur selbst belächelt. Von wenig Aggressivität gegenüber den Männern zeugt auch das Veranstaltungsmotto in der Auferstehungskirche: «Im Schatten der Atombombe sind alle Menschen Brüder (Albert Einstein).» Ein Mann nennt alle Menschen Männer – unvorstellbar als Leitspruch eines Frauentreffens in West-Berlin oder Mailand. «Und Schwestern» hatte eine auf das Plakat gekritzelt – eine friedliche Konjunktion, gleichfalls schwer vorstellbar im Westen.

«Das ist hier anders», erklärt eine seit Jahren aktive sechsunddreißigjährige Ost-Berlinerin, «wir wollen nicht die Männer bekämpfen oder ihre Macht stürzen.» Um weibliche Selbstfindung gehe es ihnen, sie stünden am Ende einer Zeit der wirtschaftlichen Gleichberechtigung der DDR-Frauen, in der sie «ganz wie die Männer geworden» seien – als Ingenieurinnen, Facharbeiterinnen, Traktoristinnen. Das Männerbild dieser Frauen ist weniger furcht- als mitleidserregend. Allein in ihrer Bekanntschaft, so erzählt die Ost-Berlinerin, kenne sie genügend Beziehungen, in denen es den Männern «ganz schön dreckig» gehe. Schuld daran ist nicht so sehr ein aggressiver Frauenkampf um Tisch und Bett. Es ist eine schleichende Entwertung der traditionellen Männlichkeit, die DDR-Männer kirre macht. DEFA-Filme und Trivial-Schlager, Sexualforscher und andere Wissenschaftler streuen seit Jahren schon Salz in die offene Wunde.

Die DDR-Frauenzeitschrift *Für Dich* ging mit der männlichen Potenz hart zu Gericht. 1982 veröffentlichte sie eine Untersuchung von Rostocker Sexualforschern, die herausgefunden hatten, daß in den Eheberatungsstellen der Republik immer mehr weibliche Klienten aufkreuzten, «die sich sexuell vernachlässigt fühlen», weil ihre Männer keine Lust hätten. Die Frauen zeigten hingegen «wachsende sexuelle Aufgeschlossenheit». Die Ost-Berliner Germanistin Karin Hirdina sieht in den Werken selbst männlicher DDR-Schriftsteller weithin «schwächliche, etwas trottelige Männer» beschrieben.

Auch DDR-Schlagertexter haben sich auf den Mann eingeschossen. «Du bist eine Niete» heißt ein Tango über einen männlichen Totalversager. Text, Musik und Interpretation: drei Männer. Ein anderer («Ich geh' wie auf Nadeln») singt vom gehörnten und verlachten Ehemann. Im «Moderato-Beat» klagt ein anderer von seiner Freundin rausgeschmissener Typ sein Elend. Und Schlagersternchen Jutta Freitag besingt, wie sie sich mit männlicher Schüchternheit herumplagt. Refrain: «Du, faß mich an, nun faß doch endlich zu! Du, faß doch endlich zu!» Auch dieses Produkt des unterhaltungskünstlerischen Gegenwartsschaffens wurde von Männern getextet und komponiert.

Nicht besser steht der Mann im DDR-Gegenwartsfilm da. Die männlichen Jammergestalten vieler DEFA-Filme der letzten Jahre haben nichts mehr mit den von der Propaganda einst geforderten Heldengestalt zu tun. In Konrad Wolfs «Solo Sunny» treten die Archetypen darniederliegender Männlichkeit der Reihe nach auf – als scheiternde, hoffnungslos unterlegene Liebhaber der Titelfrau. Die zieht zuerst einem, der sie plump anmacht, eins über den Schädel, der Verdroschene liegt dann wimmernd im Bett. Danach fertigt sie ihren schmierigen Chef ab – ein echtes Ekel mit Pomade und fiesen Manieren. Der Diplom-Philosoph, bei dem Sunny dann unterkommt, erweist sich als gefühlskalte Trantüte. Harry, der ihr schon lange nachsteigt, muß im Bett passen. Am Schluß des Films haut die Heldin noch kurz einen Kerl vom Barhocker und mit ihm das letzte Aufgebot kaputter Männlichkeit.

In dem Ehe-Drama «Bis daß der Tod euch scheidet» ist die Frau ihren Alten dermaßen leid, daß sie ihn gewähren läßt, als er betrunken zu einer Giftflasche greift.

129

Es hat sich im Westen herumgesprochen, daß DDR-Frauen in aller Regel berufstätig sind, etliche sozialpolitische Vergünstigungen genießen, vom liberalen Scheidungsrecht profitieren und nicht männerfeindlich sind. West-Berliner Männer wissen das zu schätzen. Seit Jahren schon flüchten sie vor der aggressiv-feministischen West-Welle in die Arme der «nicht so verkorksten», ziemlich «netten» und «weiblichen» Ost-Frauen. Die sehen's nicht ungern, ist doch die Heimauswahl eng und der Erfahrungshunger nach ein, zwei Ehen schnell gestillt. Die berufstätige DDR-Frau um die Dreißig, die ein-, zweimal verheiratet war, Mutter ist, einen Beruf erlernt hat, arbeiten geht und DDR-Männern selbstbewußt und skeptisch gegenübertritt, kann man in der DDR überall antreffen. Die Männer müssen die Rolle des Ernährers und Familienoberhauptes mit ihren Frauen teilen und müssen auf alte Tummelplätze von Mannesmut und Mannesstolz verzichten: Autos und Abenteuer, Geld und Gut.

Trotzdem beklagen sich DDR-Frauen über die «Paschas» an Heim und Herd. Bei der Ost-Berliner Friedenswerkstatt hingen «Diskussionsthesen» über die Stellung der Frauen aus. «Sie befinden sich in untergeordneter Stellung in Gesellschaft und politischer Hierarchie» lautete die zweite These, und die dritte befand: «Am Heldenpathos der Kriege haben nur Männer ihr Selbstbewußtsein stärken können.»

An Titeln und Medaillen stärken sich auch DDR-Militärs – von einem Heldenpathos derer, die zur «Fahne» gehen, kann indessen keine Rede sein. «Als voriges Jahr die Männer zur Reserveübung mußten», erzählt eine Frau, «waren alle verfügbaren Polizeiautos im Einsatz, um die Säumigen zu Hause abzuholen.» Wenn Männer bei solchen Übungen unter sich sind, stellt sich zwar schnell die alte rauhbeinige Sauf- und Schießkumpanei her. Das Bild vom Mann in der Welt außerhalb der Kaserne und in der Familie bekommt deswegen keinen neuen Glanz. Der Lack ist ab.

Was ist also dran am Mann in der sozialistischen deutschen Republik? Sein Berufsleben teilt er mit der Frau. Raum für individuelle Initiative, für persönliche Risiken und Verantwortlichkeit, mit denen er Bewunderung und Achtung der Frauen gewinnen könnte, gibt ihm die Gesellschaft kaum. Die Demontage der alten Männerrolle hat er nicht selbst betrieben, er wurde ihr Opfer. Eigentlich lebt er noch in den herkömmlichen Vorstellungen. Jüngere, die anders leben wollen, versteht er nicht.

Gert ist Hausmann. Seine Frau erwartet ihr erstes Kind. Da sie vorher gearbeitet hat, bezieht sie nun ihren Lohn während der Schwangerschaft weiter, gilt nach wie vor als werktätig. Die beiden sind umgezogen und müssen sich beim Rat der Kleinstadt in der Nähe von Erfurt anmelden. Der Beamte fragt nach den Berufen, nach den Arbeitsstellen. Gert ist von Beruf Grafiker, aber jetzt ist er eben zu Hause. Der Beamte sieht ihn verständnislos an: «Wollen Sie damit sagen, daß Sie keiner Arbeit nachgehen?» Gert hat schon mit Unverständnis gerechnet und erklärt umständlich die Rechtslage: «Der gesetzlichen Arbeitspflicht ist ja Genüge getan, meine Frau ist angestellt – nur zur Zeit auf bezahltem Schwangerschaftsurlaub. Und ich bin eben zu Hause solange.» Später wolle er wieder arbeiten, und sie solle zu Hause bleiben, erklärt er weiter. Der Beamte schüttelt den Kopf. «Nee, das geht nicht, das ist verboten, wir haben doch Arbeitspflicht, und Sie sind doch der Mann!» Er trägt in das Anmeldeformular einfach «Ingenieur» ein und ist überzeugt, den beiden einen Gefallen getan und dem Gesetz formal entsprochen zu haben.

«In meinem Betrieb», erzählt ein Leipziger Elektriker, «würden die Kollegen mich ziemlich aufziehen, wenn unsere Tochter mal krank ist und ich bliebe daheim – anstelle meiner Frau.»

Einen Schlüssel für das Verhältnis der Geschlechter in der DDR liefert die Novelle «Der fremde Freund» von Christoph Hein. Das Stück handelt von einer geschiedenen vierzigjährigen Ärztin und den Männern. «Unentschlossen», «blaß und verlegen», sind sie, stehen «mit traurigen Hundeaugen» am Straßenrand und winken. Sie wollen, daß die Frauen sich mit ihren «Problemen, Traumata, Ängsten befassen», wenn man sie lobt, strahlen sie. Diesen Männern steht die Ärztin gegenüber – kühl, rational, erfolgreich, lebenstüchtig. «Ich habe es geschafft. Mir geht es gut.» So endet Heins Geschichte.

Haben sich in der DDR die Rollen vertauscht? Sicher, oben in der Hierarchie und beim Militär sitzen die Männer. Aber darunter ist das Patriarchat mürbe geworden, befindet sich die Männerherrlichkeit in Auflösung. Vielleicht ist das der Grund für das Fehlen einer feministischen Bewegung in der DDR: Der Gegner lohnt die Mühe nicht.

8
«Der Atompazifismus ist hoffähig geworden»

Die Kirche und die Friedensbewegung

Am Samstagabend soll es passieren, im Hof zwischen der staatlichen Lutherhalle und dem kirchlichen Lutherhaus am Ende der Collegienstraße in Wittenberg. Der Amboß steht schon da, mehr als tausend Menschen gruppieren sich um ihn. Eine Gruppe macht Musik, Dias werden auf die Außenwand des Lutherhauses projiziert. Die Menge wartet auf ein ungewöhnliches Schauspiel. Ein muskulöser Mann mit einem Schwert in der Hand tritt hinter den Amboß. «Den kenn' ich», sagt ein Jugendlicher, «der war hier in Wittenberg Kunstschmied, jetzt schafft er in 'nem VEB.» Der Schmied beginnt seine Arbeit, bringt das Schwert in einer Esse zum Glühen, läßt den Hammer niedersausen. Die Jugendlichen fallen in den Rhythmus der Schläge ein, klatschen mit. Eine halbe Stunde lang, unterbrochen von Ruhepausen, bearbeitet der Schmied das Metall. Die Schwertspitze krümmt sich, aus der Waffe wird eine Pflugschar.

Pastor Schorlemmer begleitet das Spektakel mit kurzen Ansprachen, er verkündet seine Vision, daß «wir Spieße zu Sicheln, Raketenmäntel zu Wasserbehältern, Zerstörer zu Passagierdampfern, Kampf- zu Rettungshubschraubern» machen, daß «Träume in Wirklichkeit» umgesetzt würden.

Für die anwesenden Jugendlichen symbolisiert die Amboß-Aktion an diesem 24. September in Wittenberg vor allem den Sieg über die staatliche Verfolgung ihres Abzeichens. Als «schweren Symbolfehler» hatte der Sachsen-Bischof Johannes Hempel zwei Wochen zuvor die eineinhalbjährige Verbots- und Verfolgungspraxis bezeichnet, die nunmehr ein Ende gefunden habe. Volkspolizisten, Chefs und Lehrer betätigten sich so lange als Jäger und Sammler, bis sie den größten Teil der Zehntausende von «Schwerter-zu-Pflugscharen»-Aufnäher einkassiert hatten. Heute können ihn junge Leute – sofern sie das Abzeichen noch haben – weitgehend unbehelligt tragen. «Viel Vertrauen» sei, so Bischof Johannes Hempel, «vor allem unter der Jugend zerstört worden».

Vertrauen wagen wollten Friedensgruppen in etlichen DDR-Städten Pfingsten 1983. So in Leipzig, Gneisenaustraße. Es klingelt an der Wohnungstür. Janine wischt sich die vom Schildermalen verschmierten Hände ab und öffnet. Es ist Stefan.

«Was ist? Lassen die uns?» Stefan kommt gerade von der FDJ-Bezirksleitung, wo er die Teilnahme an der offiziellen «Friedensmanifestation» am kommenden Tag besprechen wollte. Die autonome Friedensgruppe möchte mit eigenen Transparenten und Parolen auftreten. Stefan zuckt mit den Achseln: «Sieht so aus.» Aus allen Ecken der Wohnung kommen die anderen herbei. Jetzt wird erst einmal Tee gekocht, dann muß Stefan alles genau erzählen. 50 Leute etwa haben, so wie sie, zugesagt, morgen mit dabei zu sein. Wochenlang lagen sie darüber miteinander im Streit, ob so etwas denn überhaupt Sinn hat oder nicht.

«Wenn wir es nicht schaffen, über unseren eigenen Kreis hinaus zu wirken, hat unser Engagement auf die Dauer keinen Erfolg», argumentierten die einen. «Wenn wir bei der FDJ mitmarschieren, haben wir doch bei der Bevölkerung total verspielt, dann werden wir doch mit denen in einen Topf geworfen», die anderen.

Diskussionen wie in Leipzig gab es im Frühjahr 1983 in vielen Zirkeln der ostdeutschen Friedensbewegung. In den meisten Städten der DDR setzten sich jene durch, die fürs Mitmachen beim Spektakel der Staatsjugend FDJ plädierten. Die «privaten» Friedensfreunde in Potsdam, Jena, Halle, Zittau, Cottbus, Magdeburg und anderswo wollten beim Pfingsttreffen der FDJ zeigen, daß sie keine exotische Randgruppe der sozialistischen Gesellschaft sind.

Am nächsten Morgen erscheint die Leipziger Gruppe mit ihren Friedensparolen am Aufstellungsplatz. Dort werden sie schon erwartet. Ein Beauftragter des Rates des Kreises will plötzlich von den Absprachen mit der FDJ-Bezirksleitung nichts mehr wissen: «Kommt nicht in die Tüte. Wir lassen uns doch nicht unsere schöne Demonstration kaputtmachen.» Flinke Helfer sind zur Stelle, sammeln alle nichtoffiziellen Plakate ein. Dafür gibt's sogar eine ordentliche Quittung – deutsche Gründlichkeit (Ost).

Friedensrunen, Losungen gegen Kriegsspielzeug, Parolen zur Friedenserziehung wandern in einen bereitgestellten Barkas-Kombi. Selbst die Forderung nach atomwaffenfreien Zonen findet keine Gnade, obwohl sie zum Repertoire der SED-Agitation gehört. Die umstehenden Ordner grinsen. Doch ein böser Ton kommt auf beiden Seiten nicht auf. Noch sind hier die Spielregeln halt so, und die Parteikader vor Ort erfüllen ohne besondere Verbissenheit nur ihre Pflicht.

Stefan, Janine und die anderen laufen schließlich ohne Schilder mit. Die Friedenssticker an ihren Szene-Klamotten, die Versuche, eigene Friedenslieder zu singen, lenken die Aufmerksamkeit ohnehin auf sie. Nach der Demonstration kommen die meisten ins Gespräch mit Leuten, «die wir sonst niemals kennengelernt hätten», wie die Gruppe hinterher feststellt.

Anderswo reagierten die Funktionäre flexibler. In Pritzwalk konnte schon 1982 eine kirchliche Gruppe an der FDJ-Friedensmanifestation zu Pfingsten teilnehmen. Ein örtlicher SED-Mann lobte im Genossen-Kreis: «Das schienen mir die einzigen wirklich engagierten Teilnehmer gewesen zu sein.»

So ganz falsch lag der Genosse mit seinem Urteil wohl nicht. Für den Frieden sind natürlich alle. Doch für die einen ist so ein Marsch eine möglichst schnell zu absolvierende Pflichtveranstaltung. Das Erscheinen ist vorteilhaft, danach kehrt man eiligst zum familiären Freizeitvergnügen zurück, für die anderen ist eine staatliche Friedensdemonstration das gründlich überlegte Zeichen eigenen Engagements, von dem eher persönliche Nachteile entstehen können.

In Pritzwalk stellten sich zwar FDJ-Ordner mit ihren riesengroßen Transparenten vor die der Neulinge, doch wochenlang war die Minderheit Gesprächsstoff in der Kleinstadt. Auch hier hatte sich die Gruppe erst nach sorgfältigen Überlegungen zur Teilnahme entschlossen. «Andersdenkende und Pessimisten» wollte man ansprechen, «konstruktive Schritte in die Gesellschaft hinein» machen und nicht schweigen. Rechtzeitig zum Pfingsttreffen 1983 änderte sich die staatliche Taktik: Funktionäre ließen durchblicken, in diesem Jahr könne jeder an der Friedensdemo teilnehmen – «mit dem Recht auf Selbstdarstellung».

Wo dieses Recht endet, blieb allerdings den jeweiligen örtlichen Behörden überlassen. Und die zeigten nicht überall ein so weites Herz wie in Pritzwalk oder im Oberlausitzer Zittau. Dort standen auf Transparenten und Plakaten ungewohnte Parolen: «Für Friedenserziehung in den Schulen», «Kriegsspielzeug? Eltern haften für ihre Kinder», «Für wahrhaften, nicht wehrhaften Frieden in Ost und West», «Abrüsten statt Aufrüsten», und: «Gegen Waffen Frieden schaffen».

Erst zwei Stunden vor Beginn der Demonstration genehmigten die örtlichen Organe den alternativen Schilderwald. Damit alles seine Ordnung hatte, wurde der Gruppe ein Stellplatz in den Reihen der übrigen Friedensfreunde zugewiesen.

Die Initiative von unten brachte den Demo-Plan durcheinander: Vor der Zittauer Johanniskirche bildeten sich spontane Diskussionsrunden, einige aus der Friedensgruppe verteilten Wiesenblumensträuße, Luftballons und Landschaftsbilder. Die Reaktionen reichten von Lachen über Unsicherheit bis zur totalen Ablehnung: «Damit könnt ihr keinen imperialistischen Angriff abwehren.»

Die Zittauer Friedensgruppe bedankte sich bei der SED- und FDJ-Kreisleitung «für ihre Unterstützung» und bot ihnen «einen weiteren Dialog» an. Bei einer Friedensveranstaltung im benachbarten Stahwalde hatten sie schon einmal ein offenes Gespräch mit dem Bürgermeister und einem Mitglied der FDJ-Kreisleitung. «Das kann für uns nur ein erster Anfang sein», lassen die Zittauer optimistisch verlauten.

Ob die FDJ den freien Zulauf bei ihren alljährlichen Pfingstmeetings weiterhin dulden wird, ist zweifelhaft. Denn vielerorts lassen es die Friedensgruppen nicht bei der schlichten Teilnahme am FDJ-Aufmarsch bewenden. In Halle etwa schrieben sie an den Jugendverband, sie wollten gern mit der FDJ über den Frieden und die Wege dahin in einen «konstruktiven Dialog» treten. Hundert unterschrieben und bekamen sogar Antwort. Doch die war negativ. Die FDJ-Leitung teilte mit, sie anerkenne keine Gruppen und diskutiere folglich auch nicht mit ihnen, wohl aber sei sie zu Einzelgesprächen bereit. Dabei kam indes nichts heraus. Ein Teilnehmer: «Die haben halt ihre Linie abgespult, und dann hat man sich irgendwann wieder verabschiedet.»

Beim staatlichen Aufmarsch am Hallmarkt trafen die unerwünschten Mitdemonstranten auf eine hermetisch abgeriegelte Friedensmanifestation. Die eigenen Transparente – «Vertrauen wagen», «Vertrauen statt Wahnsinn» und ein weißes ohne Aufschrift wurden von FDJlern verdeckt. Unter den 50 Leuten war Kathrin Eigenfeld. Sie wurde von Staatsvertretern noch während der Demonstration kurzerhand zur «Verantwortlichen» für den Vorfall erklärt und mit «Konsequenzen» bedroht.

In Potsdam erklärte man einem Jugendlichen im Verhör, eine Teilnahme an offiziellen Demonstrationen wie in diesem Jahr werde «ganz sicher nicht wieder vorkommen»: In Zittau waren sich die Verantwortlichen der FDJ-Manifestation diesmal nicht einig gewesen, ob man die Gruppe zulassen sollte, «aber ein nächstes Mal wird es kaum geben», wurde Wochen später den Beteiligten vom Rat des Bezirks mitgeteilt.

Beim Kirchentag in Rostock im Juni 1983 berichtete eine Friedensgruppe darüber, wie die FDJ sie beim Pfingsttreffen der Jugend in der alten Hafenstadt behandelt hatte. Der Durchschlag eines Briefes an Erich Honecker, in dem sie sich nachdrücklich darüber beklagten, mußte jedoch nach Intervention von Staatsfunktionären von einer Anschlagtafel in der Marienkirche entfernt werden. Eine von den jungen Leuten zusammengestellte Ausstellung über ihre Aktion und die Reaktion der Behörden dagegen konnte hängen bleiben.

Sie hatten versucht, mit selbstgefertigten Plakaten an der FDJ-Demo teilzunehmen. Sie brachten Losungen mit wie: «Ohne Frieden keine Zukunft», «Entrüstet Euch» oder Karikaturen und Fotomontagen, wie die Verwandlung eines Panzers in ein friedliches Nutzfahrzeug, eine Rose, die aus einem Stacheldraht herauswächst und einen Menschen, der vor der Weltkugel ein Gewehr zerbricht.

Am Demonstrationsort wurden alle jedoch weggedrängt, ihre Schilder zerstört und sie selbst von offiziellen Friedenstransparent-Trägern umstellt. Sie mußten sich Beschimpfungen gefallen lassen wie «Provokateure», «Radaubrüder» und «Chaoten».

Auf ihre Beschwerde beim Oberbürgermeister hörten sie nichts. Er sagte einem von ihnen, daß die FDJler korrekt gehandelt hätten, die «Störung» sei zurecht unterbunden worden, denn «in Rostock, da herrscht immer noch Recht und Ordnung». In dem Brief an Honecker, der wieder aus der Marienkirche verschwinden mußte, sprachen die Friedensfreunde die Bitte aus, dem Engagement für den Frieden mehr Raum zu geben. Eine Antwort gab es für sie bis dahin allerdings nicht. In Schwerin hatte eine andere Friedensgruppe ähnliche Erfahrungen wie die Rostocker gemacht. In einer mecklenburgischen Kleinstadt dagegen durfte eine Gruppe mit eigenen Transparenten Aufstellung gleich hinter der SED-Kreisleitung nehmen.

Das Hin und Her um die Teilnahme «solcher Typen», wie es in mancher SED-Parteigruppensitzung hieß, löste in den betroffenen Städten heftige Diskussionen innerhalb der Partei aus. «Unsere Demonstrationen dürfen keine Happenings für Staatsfeinde werden», war dabei ein oft gehörter Standpunkt. «Wir müssen uns um die Einheit aller Friedenskräfte bemühen», ein anderer. Für die unerwünschten jungen Friedensfreunde hatten manche Parteigenossen nur harte Worte und schlichte Einschätzungen übrig: Solidarnosc-Agitatoren, Anarchisten, Agenten. «Irregeleitete» war noch die mildeste Beurteilung.

Die Leitung des DDR-Kirchenbundes besteht auf eigenständiger Teilnahme von Friedensengagierten an staatlichen Demonstrationen. «Fragen und eigene Lösungsvorschläge zu den offiziell vertretenen Auffassungen dürfen nicht sofort als gegen Staat und Gesellschaft gerichtet verdächtigt werden», appellierte sie im September an die Partei, «wir bedauern, daß bei der ‹Friedensmanifestation der Jugend›, Pfingsten 1983, Christen zwar eingeladen wurden, mit eigenen Losungen teilzunehmen, dann aber weithin ausgeschlossen, verdächtigt oder gar gewaltsam ferngehalten wurden.» In Zukunft hoffe man «auf das Mitdenken und Mitgehen unserer Partner» in der Gesellschaft.

Ähnlich kopfscheu hatten lokale Parteifunktionäre 1982 gegenüber den «Schwerter-zu-Pflugscharen»-Texten reagiert. Beim ersten Dresdener Friedensforum am 13. Februar hatte der sächsische Landesjugendpfarrer Harald Bretschneider auf Beispiele von Liberalität verwiesen. Das Städtchen Zittau hatte auch er damals wegen seiner Großzügigkeit als Beispiel genannt. Nachdem Vopos und Schuldirektoren einige Wochen lang überall unterschiedlich auf Zehntausende von Aufnähertägern reagiert hatten, rang sich die Parteizentrale im Frühjahr 1982 zum faktischen Verbot durch.

Ähnlich unsicher wie auf die ungebetenen Pfingstdemonstranten reagiert die SED auf eine andere Form von Friedenseinsatz: auf die «Friedenswerkstatt».

Während kirchliche Gruppen in der DDR-Metropole im Juli 1983 schon zum zweiten Mal ein solches Friedensseminar veranstalteten, «wäre das bei uns», so schätzt ein Weimarer Kirchenmann die Lage ein, «völlig undenkbar».

Organisiert ist die Friedenswerkstatt als offenes Diskussionsforum und Informationsbörse, mit Info-Ständen über Sicherheitspolitik, Zivilschutz oder Bausoldaten-Einheiten, in denen Wehrdienstverweigerer eine Art militärischen Ersatzdienst ohne Waffe ableisten können. Örtliche Initiativen stellen Protest-Grafik aus. Parteileute sind willkommen, einige Gäste aus dem Westen zugelassen.

Welche Fortschritte die DDR-Friedensbewegung in nur einem Jahr gemacht hat, zeigte sich bei der zweiten Friedenswerkstatt in Ost-Berlin. Motto: «Sprich mal frei». Für zehn Stunden blühte da an der Erlöserkirche auf dem abgelegenen Kirchengrundstück am S-Bahnhof Rummelsburg eine politische Kultur auf, von der die 3000 Teilnehmer im Alltag nur träumen können.

Mehr Besucher, mehr Gruppenstände waren aufgebaut, offenere Diskussionen fanden statt. Die neue Basisbewegung stellte sich in ihrer ganzen Breite dar, die Palette reichte weit über das Friedensthema hinaus. Umweltschützer meldeten sich ebenso zu Wort wie Schwulen- und Frauengruppen. Am Ökostand etwa informierten Grüne aus Mecklenburg über den geplanten Bau der Schweriner Autobahn. Probleme, über die sich die Ost-Berliner Szene, ebenso wie die Angereisten aus der Provinz, erstmals öffentlich informieren konnte.

Eine Podiumsdiskussion gehörte zu den Höhepunkten. Mit von der Partie war – in diesem Rahmen höchst ungewöhnlich – ein Funktionär der DDR-CDU und Mitglied der staatlichen Friedensbewegung, Carl Ordnung. Der erntete Protest und Gelächter, als er behauptete, die DDR sei doch nach innen friedlich. Für den Magdeburger Pfarrer Hans Tschiche dagegen gab es Beifall, als er entgegenhielt: «Es geht nicht an, daß man außenpolitisch nach Frieden ruft und innenpolitisch ein Klima der Angst und der Disziplinierung schafft.» Nur Verweigerung könnte die Politiker dazu bringen, «das Vernünftige zu tun».

Die einzige Frau unter den zehn Podiumsteilnehmern, eine Vertreterin der DDR-Gruppe «Frauen für den Frieden», bekam ebenfalls großen Applaus für die Feststellung, daß es an der Zeit sei, den Friedenswillen auch außerhalb der Kirche zu dokumentieren. Die gängigen Verleumdungen müßten endlich aufhören, denn «wir sind keine von außen angestifteten Provokateure».

Die Anwesenheit westlicher Gesinnungsgenossen empfinden nicht nur die kirchlichen Veranstalter, sondern auch viele Teilnehmer in der Tat als problematisch. Zu unterschiedlich ist der Stil, zu groß die Angst, unter den Verdacht der Abhängigkeit vom Klassenfeind zu geraten.

«Ich finde es schade und bedauerlich, daß ein ausländischer Gast zuerst spricht, wenn wir uns hier schon mal zu einer öffentlichen Aussprache versammeln», kritisierte eine Frau aus Wittenberg die Auftritte von Westlern in der «Speaker's Corner». Im Privatgespräch wurde sie deutlicher: «Ich habe den Eindruck, diese West-Leute spielen sich hier nur auf und interessieren sich nicht wirklich für uns. Es ist wohl schon Mode geworden bei euch, hier mal dabei gewesen zu sein.»

Verdächtig ist den Ost-Pazifisten auch das professionelle Polit-Gehabe mancher Friedensfreunde (West). Da sie sich im SED-System ohnehin nicht im großen Stil organisieren können, ist den DDR-Friedensfreunden moralische Integrität und persönliches Engagement wichtiger als politische Effektivität. Häufig sind die zu solchem Oasendasein gezwungenen Pazifisten offensiver gegenüber dem Staat. Seit ein, zwei Jahren hagelt es Diskussionsforderungen, Dialogangebote von unten. Die Jugendfunktionäre, die es nie gelernt haben, mit nichtbestellten Demonstranten und ungebetenen Veranstaltungsgästen umzugehen, machen dann meist keine gute Figur.

Nach der Ost-Berliner Friedenswerkstatt im Juli 1983 kamen einigen der linientreuen staatlichen Friedensbewegten denn auch gleich Bedenken wegen ihrer Teilnahme «am Pazifisten-Jahrmarkt». Sie fürchteten, daß der «Freiraum» einer «sogenannten Friedenswerkstatt» von Sympathisanten und «Hardlinern politischer Systemkritik» als Möglichkeit der Verständigung und Koordinierung genutzt werden könnte. «Schon tauchen Vorschläge auf», sorgte sich ein Mitglied der staatsloyalen «Christlichen Friedenskonferenz» (CFK), «wie die Schaffung eines Korrespondenz-Büros, einer Material-Zentrale, einer elastischen Organisation kleiner abgeschlossener Gruppen.» Darum will man sich jetzt weiter darüber auseinandersetzen, ob man an so etwas überhaupt teilnehmen soll oder nicht.

Diese Parteigänger der SED versuchen sich zu profilieren, indem sie mitunter in einen Polit-Konservatismus zurückfallen, der die SED überbieten will. Sie sind blind für die Hintergründe, Motive und Ziele des Aufbruchs einer ganzen Generation, wie er sich gegenwärtig in der DDR vollzieht, und bleiben befangen in längst überholten Freund-Feind-Schablonen.

Am Freitag, dem 13. Mai 1983 warteten in Kessin bei Rostock die Teilnehmer des Friedensseminars der evangelischen Kirche auf hohe Gäste. Die FDJ-Bezirksleitung Rostock und die Christliche Friedenskonferenz der DDR waren zur Podiumsdiskussion geladen.

Solch ein Gesprächsangebot von kirchlicher Seite ist nicht ungewöhnlich. Ein «echtes Novum» – so einer der Kessiner Seminaristen – war jedoch die Zustimmung der Eingeladenen. Zwar ließen die Genossen von der CFK mehrere Einschreiben unbeantwortet, in anschließenden Telefongesprächen zeigten sie sich aber verhandlungswillig. Die Rostokker FDJ-Bezirksleitung sagte sogar zu, ohne daß man sie lange bitten mußte. Nachdem der FDJ-Zentralrat davon erfahren hatte, kam kurz vor dem Seminartermin die Absage. Die Teilnehmer ließen das jene Genossen spüren, die die Diskussion nicht scheuten und erschienen waren. Der Mecklenburger Bischof Heinrich Rathke und Studentenpfarrer Christoph Kleemann hatten Mühe, die Seminarteilnehmer wieder zu beruhigen.

Dabei hatte sich die Zusammenarbeit zwischen Rostokker Friedensspontis und Staatsjugend gut angelassen. Im November 1982 lud die FDJ ins Mensa-Foyer zum Friedensfest. Man wollte über die Alternative «Frieden schaffen ohne Waffen oder bewaffneter Schutz des Sozialismus» miteinander reden.

Die Rostocker Christenjugend erschien in Sollstärke, CFK-Mann Gert Wendelborn referierte. «Schwerter zu Pflugscharen» sei ein «dunkles Wort», erläuterte der Theologe von der Rostocker Uni seinen jungen Glaubensbrüdern. Die FDJler hörten es gern.

Eine echte Debatte entzündete sich im Foyer. Dort hatte die FDJ eine «Friedenswand» aufgebaut, die flugs mit kontroversen Parolen, Sprüchen und Symbolen bepinselt wurde. Diskussionstrauben bildeten sich und besprachen, was im Saal ungesagt blieb. In Rostock findet seit Januar 1982 jeden Monat ein Friedensgottesdienst der Evangelischen Studentengemeinde statt. Anfangs kamen zwei Dutzend, inzwischen sind es bis zu 750.

Zusätzlich irritiert sind die SED-Oberen und vor allem die Sicherheitsfraktion um Stasi-Chef Erich Mielke durch eine Bewegung, der sie selbst, wenn auch ungewollt, zum Leben verholfen haben. Zum 1. Mai 1982 verbschiedete die DDR-Volkskammer ein neues Wehrgesetz, nach dem auch Frauen, wenn die Lage der sozialistischen Nation es erfordert, zur Nationalen Volksarmee gezogen werden können.

Keine sechs Wochen später hatte die DDR eine weitere Initiative, die «Frauen für den Frieden». Bei der Ost-Berliner Friedenswerkstatt 1982 traten sie erstmals öffentlich auf. Im Herbst desselben Jahres schrieben sie einen Brief an Erich Honecker, mit je einer Kopie an Volkskammer und Ministerrat. Tenor: Zu dem neuen Gesetz müsse das Volk befragt werden.

Die Unterschriften kamen aus Dresden, Ost-Berlin und Halle, die Unterzeichnerinnen gehörten überwiegend zu kirchlichen Kreisen und zum Künstlermilieu. Eine von ihnen: «Die Frauen hier wissen doch zum größten Teil gar nicht, was da auf sie zukommen kann.» «Wir Frauen erklären uns nicht dazu bereit, in die allgemeine Wehrpflicht einbezogen zu werden, und fordern eine gesetzlich verankerte

Möglichkeit der Verweigerung» lautete der Kernsatz des Protestbriefes.

300 Frauen hatten ihn bald unterschrieben. Er wurde privat herumgereicht, von Frau zu Frau, von Gruppe zu Gruppe, auf Feten und Familienfeiern. Damals schon sorgten sich die Friedensfrauen um ihren Ruf als grundsätzlich loyale DDR-Bürgerinnen. Sie verhinderten monatelang, daß ihr Brief an die westlichen Medien gelangte. Auf keinen Fall wollten sie in die Ecke der Dissidenten und Westfans gedrängt werden. «Wir sind Frauen mit und ohne Kinder, katholisch, evangelisch oder nicht kirchlich gebunden, einige von uns haben den Krieg erlebt, anderen ist die böse Erfahrung erspart geblieben», so schrieben sie und verwahrten sich dagegen, ihre nun mögliche Rekrutierung im Falle der Mobilmachung der DDR-Streitkräfte etwa als Fortschritt zu mehr Gleichberechtigung der Frauen zu sehen.

Eine von ihnen begründet das so: «Das ist eben ein ziemlich dummes und bequemes Verständnis von Gleichberechtigung. Im Grunde hieße das doch: Frauen, werdet wie wir Männer, zieht euch, nachdem ihr Baggerführerinnen und Ingenieurinnen geworden seid, nun auch den Kampfanzug an und schultert die Kalaschnikow. Das widerstrebt uns aber total. Ich selbst habe ein Kind, und es erscheint mir widersinnig, als Frau und Mutter mit dem Gewehr durch die Gegend zu ballern oder gar einen Atomkrieg mit vorzubereiten.»

Zu der Frage, ob das denn die vielen Baggerführerinnen und Ingenieurinnen auch so sähen, meint sie: «Wir wurden ja praktisch vor vollendete Tatsachen gestellt. Das neue Wehrgesetz wurde doch nicht öffentlich diskutiert. Das bedeutet natürlich, daß die absolute Mehrzahl der Frauen bei uns in der DDR keine Ahnung von dem Gesetz hat. Wenn man eine an der Maschine in einem Betrieb fragt, dann hören die zum ersten Mal davon, daß es sowas überhaupt gibt.»

Die Forderung nach einer Volksbefragung sieht die Friedensfrau eher symbolisch: «In der Verfassung steht ausdrücklich die Verpflichtung für den Gesetzgeber, bei wichtigen Gesetzesänderungen eine öffentliche Erörterung durchzuführen. Ich glaube nicht, daß eine von uns echt damit gerechnet hat, daß sowas auf unseren Wunsch und im nachhinein noch nachgeholt würde. Im übrigen haben wir ja immer wieder klargestellt, daß wir nicht Konfrontation, sondern den Dialog mit dem Staat wollen.»

Dialog ist für sie mehr als eine diplomatische Floskel, sie meint das ernst: «Ich bin zum Beispiel ganz und gar dagegen, daß unser Anliegen immer wieder mit der West- oder der Ausreiseproblematik vermischt wird. Jemand, der seinen Ausreiseantrag gestellt hat, hat wirklich ein anderes Verhältnis zur Friedensarbeit, das ist ganz zwangsläufig. Er ist immer schnell bereit, zu eskalieren, weil er sozusagen die Brücken hinter sich schon abgebrochen hat. Und genau das will ich eben nicht.»

Sie sieht allerdings auch, wie der Staat den Friedensfrauen gegenüber mauert: «Uns ist es nur sehr schwer gelungen, Kontakte zur staatlichen Seite aufzunehmen. Außer manchen CFK-Leuten ist kaum jemand bereit, mit uns zu sprechen. Ich glaube schon, daß es eine gewisse Zeit braucht, bis sich unsere Verantwortlichen daran gewöhnen, daß es hier Leute gibt, die zwar anders, aber keine Feinde sind. Sie kennen ja in ihrem alten Weltbild nur innigste Freunde und äußerste Feinde. Und mir liegt echt daran, daß wir hier in der DDR unsere Sachen auf friedlichem Wege und unter uns klären. Nur ist eben bis jetzt die friedlichste Lösung, die uns der Staat immer vorschlägt, der Ausreiseantrag. Das ist aber eigentlich keine Lösung – für mich nicht und für den Staat auch nicht. Außerdem wird die Zeit, die wir haben, um den Frieden zu erhalten, so langsam knapp. Uns allen läuft die Zeit davon, die unser Staat eigentlich bräuchte, um sich ohne Schockwirkungen und Konfrontationen an die neue Situation zu gewöhnen.»

Die Staatsorgane verlegen sich erst einmal auf psychologische Kriegführung: Überall in der Republik wurden die Friedensfrauen zu Verhören oder Gesprächen gebeten. Parallel dazu bearbeiteten die Herren von der Stasi die Ehegatten von Mann zu Mann – Originalton: «Können Sie nicht ein bißchen besser auf Ihre Frau aufpassen?»

Dennoch vermuten die Attackierten «eher Hilflosigkeit bei den Organen» als gezielte Taktik. Von staatlichen Stellen bekamen die Friedensfrauen sogar staatsbürgerliche Zuverlässigkeit bescheinigt. Auf einen Protestbrief gegen die rüde Ausbürgerung des Jenaer Friedensstreiters Roland Jahn antwortete eine Behörde bemerkenswert differenziert: Der Jahn habe sich strafbar gemacht, da sollten sich die Friedensfrauen nicht einmischen, zumal sie selbst sich doch bei ihren Aktivitäten an die Gesetze hielten.

Als nach der Friedensdekade Ende 1981 Peace-Aufnäher auf Blusen und Hemdsärmeln überall in der DDR auftauchten, gab es ähnlich widersprüchliche Szenen wie bei den Pfingstmärschen der FDJ. Auf Straßen und Schulhöfen spielte die Volkspolizei Schnitzeljagd. Sobald sich aber dieselben Leute in Gotteshäusern zu Klein- und Großveranstaltungen versammelten, ließ man sie gewähren.

Am 6. August 1983, dem «Hiroshima-Tag», trafen sich in der Ost-Berliner Erlöserkirche 14, in der Hallenser Marktkirche um die hundert und in der Stadtkirche von Teterow ein gutes Dutzend autonome Friedensfreunde zum gemeinsamen Fasten. Die «Christliche Frauengruppe Hohenthurm» aus Halle hatte die Aktion angeregt, um sich auf diese Weise mit Fastenden in aller Welt zu solidarisieren.

Die DDR-Faster, die sich auf Luftmatratzen und in Schlafsäcken um die Altäre der drei Kirchen lagerten, wollten unterschiedlich lange darben. In Teterow und Halle einmal rund um die Uhr, in Ost-Berlin eine ganze Woche. Nirgendwo gab es Schwierigkeiten mit Behörden, wenn die Aktionisten nur eine Auflage einhielten: keinen Schritt über die Kirchenschwelle. In Ost-Berlin mußte ein Transparent, das draußen an der Kirche hing, abgenommen werden, nachdem es in der «Tagesschau» gezeigt worden war. Ein Hallenser Faster: «Wenn ich jetzt rausgehen würde mit meinem ‹Fasten›-Stirnband, wär ich sofort weg vom Fenster.»

Die Fasten-Gruppe in der Stadtkirche von Teterow propagierte den Gedanken von «Friedensverträgen von unten». Ihrer Ansicht nach müßten endlich neue Wege für eine sofortige Abrüstung gefunden werden. In einer Erklärung beschrieben sie ihre Ziele: «Wir beabsichtigen, eine Gesellschaft zu gestalten, in der militärische Befehlsstrukturen überflüssig geworden sind und die Menschen in Frieden und demokratischer Selbstbestimmung leben können.»

Die Ost-Berliner Gruppe in der Erlöserkirche, wo sonst die Bluesmessen und Friedenswerkstätten veranstaltet werden, schrieb, daß sie «auf gewaltfreie Weise Druck auf die Mächtigen» ausüben wolle, um die politischen Verhandlungen voranzutreiben. Es gehe heute nicht um das Überleben des Kapitalismus oder des Sozialismus, sondern um den Fortbestand der menschlichen Zivilisation und ein Leben in Würde und Gerechtigkeit.

«Wir fasten hier für das Leben», meint ein knapp Dreißigjähriger. Er hat sich der Gruppe in der Woche spontan noch angeschlossen. «Wir können und wollen hier nur eine begrenzte Aktion machen, die mit den anderen unbegrenzt Fastenden in der Welt solidarisch sein will. Aber wir wollen, daß unsere Vorschläge ernst genommen und öffentlich beantwortet werden.» Er studiert erfreut die Grußadressen, die an eine Tafel angebracht wurden und von Teterow, Halle und einer Gruppe aus West-Berlin stammen.

Zum Abschluß der Woche ist er mit dabei, als ein offener Brief an Erich Honecker formuliert wird. Darin wird die DDR-Regierung aufgefordert zu erklären, daß sie die Aufstellung von Atomraketen auf ihrem Territorium auf keinen Fall zulassen werde, wie immer die Verhandlungen in Genf auch ausgehen sollten. «Das würde nach unserer Einsicht in keiner Weise ein Sicherheitsrisiko darstellen, weil das Abschreckungspotential der Staaten des Warschauer Vertrages ausreicht, um jeden Angriff zum selbstmörderischen Akt werden zu lassen», heißt es in dem Schreiben, das – von 17 Leuten unterzeichnet – persönlich im Staatsratsgebäude übergeben wurde.

147

Und unter Hinweis auf das unbefristete Fasten einiger Leute in der westlichen Welt schreiben sie weiter: «Wir appellieren an Ihr Gewissen und an das Gewissen der politischen Führungskräfte in der DDR, nicht zuzulassen, daß zehn Menschen stellvertretend für den drohenden Tod der Menschheit in diesen Wochen sterben. Ihr Tod würde in uns die Furcht verstärken, daß der Tod der vielen Wirklichkeit wird.» Die Menschen müßten ermutigt werden, «sich der Politik der gegenseitigen Bedrohung zu verweigern». Viele einzelne und Gruppen müßten deutliche und unmißverständliche Zeichen setzen, die ihren «gewaltlosen Widerstand gegen die Politik des Unfriedens sichtbar machen».

Zwei Wochen später versucht eine Gruppe Ost-Berliner eine solche gewaltfreie Aktion am «Weltfriedenstag», der in der DDR stets mit großem offiziellem Aufwand gefeiert wird. An den Zeitungskiosken hingen am Morgen dieses 1. Septembers die Ausgaben des SED-Zentralorgans *Neues Deutschland* mit der Schlagzeile «Jugend stärkt mit Taten das sozialistische Vaterland». Die zahlreichen Sicherheitskräfte, die vorsorglich «Unter den Linden» Stellung bezogen hatten, sorgten sich mit ihren Taten in den frühen Morgenstunden dagegen ziemlich wenig um das Ansehen der DDR. Sie lösten recht unfriedlich eine Ansammlung junger Leute zwischen der amerikanischen und der sowjetischen Botschaft auf.

Etwa 60 bis 70 Personen hatten sich in aller Frühe dort eingefunden, Kerzen entzündet und in ihren Händen gehalten. Sie wollten eine Menschenkette zwischen den beiden Missionen bilden, um die beiden Atommächte, wie sie später in einer Erklärung bekanntgaben, an ihre Verantwortung für den Weltfrieden zu mahnen. Bevor die beabsichtigte Menschenkette jedoch zustande kommen konnte, drängten die Ordnungshüter die Teilnehmer an dieser Friedensaktion in eine Seitenstraße ab.

Dort gab ein Einsatzleiter das Kommando, die Demonstration aufzulösen. Daraufhin schlugen die Polizisten die in den Händen der Friedensfreunde brennenden Kerzen ge-

148

waltsam aus, zerrten die Frauen und Männer recht unsanft, einige Teilnehmer stürzten dabei zu Boden. Einzelne wurden herausgegriffen und auf bereitstehenden Lastwagen abtransportiert. Ein gutes halbes Dutzend wurde festgenommen.

Eine kleine Gruppe der Friedensdemonstranten zog in Richtung Alexanderplatz. Sie blieben an der alten Oper kurz stehen, von den Sicherheitskräften verfolgt. Dort prangte von der Fassade ein riesiges Transparent des «Friedensstaates DDR», mit zahlreichen Friedenstauben und der Losung «Frieden den Kindern der Welt». Dann ging es weiter, zur Marienkirche am Alexanderplatz.

Hier stellten die Übriggebliebenen ihre Kerzen vor ein Steinkreuz neben der Haupteingangstür, die um diese Zeit noch verschlossen war. Etwa 30 Männer und Frauen, darunter auch noch einige Kinder, bildeten um die Kerzen einen großen Kreis. Sie reichten einander die Hände und hielten sich schweigend fest. Später wurden Lieder der Friedensbewegung angestimmt. Dann kam die Polizei.

Das Außenministerium der DDR begründete später das Vorgehen gegen die Demonstranten mit der «Notwendigkeit zum Schutz diplomatischer Einrichtungen».

Auch in Potsdam wurde einer Friedensgruppe verboten, zum Gedenken an die Kriegsopfer am «Mahnmal für den Faschismus» auf dem zentralen «Platz der Einheit» einen Kranz niederzulegen. «Ihr seid hier heute unerwünscht, geht nach Hause!» mußten sich die jungen Leute dort von Ordnungshütern sagen lassen.

Etwa zur gleichen Zeit, als die Ordnungshüter «Unter den Linden» die Friedensengagierten abdrängten und festnahmen, begann in einem der größten Ost-Berliner Betriebe, den Elektro-Apparate-Werken «Friedrich Ebert», eine «machtvolle Friedenskundgebung», an der auch Erich Honecker teilnahm. Der Staats- und Parteichef lobte anläßlich des «Weltfriedenstages» die «erdumspannende Friedensbewegung», die über alles Trennende hinweg die verschiedenen Kräfte vereinen würde. «Wenn es um den Frieden geht, ist unserem sozialistischen deutschen Staat und allen seinen Bürgern keine Anstrengung zu groß.»

In den Abendstunden desselben Tages wurde in Ost-Berlin der sechsunddreißigjährige Physiker Martin Böttger festgenommen, ein bekannter Mann aus der kirchlichen Friedensarbeit, der auch wenige Wochen zuvor, am 6. August, an der Aktion «Fasten für den Frieden» in der Erlöserkirche teilgenommen hatte. Zwei Wochen später wurde er wieder aus der Haft entlassen. Vorübergehende Festnahmen gab es an diesem 1. September auch noch in anderen Städten der DDR.

Schockierend wirkte die Verurteilung des Jugenddiakons Lothar Rochau aus Halle zu drei Jahren Gefängnis und die Verhaftung der Bibliothekarin Katrin Eigenfeld, die zusammen mit Rochau «offene Jugendarbeit» betrieben hat, mitten in den Vorbereitungen zu einem Kinderfriedensfest am Vorabend des 1. September 1983. Das harte Vorgehen des Staates löst heutzutage in der DDR aber auch mehr öffentlichen Protest als früher aus. Die Friedensfrauen meldeten sich mit einer Eingabe zu Wort, überall äußerten Kirchenleute gegenüber staatlichen Gesprächspartnern ihr Unverständnis.

Die DDR-Friedensbewegten müssen ständig mit einem Angst-Trauma bei den Funktionären rechnen. «Es ist uns bisher nicht gelungen», sagt einer von ihnen, «unsere Einsprüche gegen bestimmte ideologische Vorurteile, gegen militärische Drohrituale und gegen eine starke Militarisierung des öffentlichen Lebens so zu formulieren, daß wir als gutwillige Gesprächspartner und nicht als potentielle Feinde angesehen werden. Die Folge dieser Verhältnisse ist, daß uns bisher nicht die Möglichkeit gegeben worden ist, uns an Konferenzen mit unseren Freunden aus der westeuropäischen Friedensbewegung zu beteiligen.»

Auch den Vorschlag, persönliche Friedensverträge zwischen Ost- und Westdeutschen abzuschließen, blockten die Funktionäre prompt ab. Vor den Kirchentagen in Eisleben und Magdeburg im Juni 1983 ermahnten die Behörden die

150

Veranstalter, solche Ost-West-Verträge dürften auf gar keinen Fall propagiert oder gar organisiert werden.

Doch die Sache ist inzwischen von Friedenskreisen in Mecklenburg und Sachsen in Gang gebracht worden. In einem gemeinsamen Auftrag fordern sie persönliche Friedensverträge als «Abrüstung von unten». Statt eines einheitlichen Vertragstextes sind darin «Bausteine» mit Anregungen für individuelle Briefe genannt.

In einem der ersten solcher Schreiben, die schon zu hunderten über die deutsch-deutsche Grenze gehen, heißt es unter anderem: «Wir erklären, daß wir nicht aufeinander schießen werden. Wir beabsichtigen, gegenseitiges Verständnis und Vertrauen zu fördern, Informationen auszutauschen und bei Besuchen an Friedensveranstaltungen der anderen Seite teilzunehmen.» Die Synode des DDR-Kirchenbundes unterstützte die Basisinitiative 1983 auf ihrer Septembertagung, indem sie «spontane Aktionen» in der kirchlichen Friedensarbeit und in diesem Zusammenhang auch «Friedensbriefe» ausdrücklich begrüßte.

Die unterschiedliche Behandlung der autonomen Friedensszene läßt vermuten, daß die SED-Führung (noch) uneins ist, wie sie mit den Störenfrieden im eigenen Land umgehen soll. Sie verweigert sich zwar allen Forderungen der Autonomen, zugleich aber läßt sie die für die Macht der Partei nicht ungefährlichen Diskussionen in den Friedenszirkeln über Friedenssicherung statt Wehrkundeunterricht und gegen den allgegenwärtigen Militarismus in Medien und Öffentlichkeit laufen.

«Sozialer Friedensdienst» komme nicht in Frage, erklärte SED-Mann Klaus Gysi, Staatssekretär für Kirchenfragen beim Ministerrat, im September 1981 vor Studenten der Humboldt-Universität. Doch die Partei tolerierte, daß sich Tausende von jungen DDR-Bürgern in kirchlichen Initiativen für einen zivilen Ersatzdienst engagierten.

Den jungen Leuten bleibt vor dieser Gummi-Taktik nur der Ausweg in eine Alternativkultur, so bescheiden diese auch sein mag. Da ihnen der Weg in die Politik versperrt wird, drucken sie eben Postkarten mit pazifistischen Motiven, malen Anti-Kriegsplakate, treffen sich in den überall im Lande aufblühenden Friedensgruppen. Und sie erfahren, daß manches machbar ist, was ihre Eltern nie zu tun gewagt hätten.

So führt die Reaktion des Staates zwangsläufig zu einer Entfremdung von der Politik bei diesem Teil der Jugend. Und die verunsicherten Funktionäre greifen dann vor Ort auf die Faustregel zurück: in der Kirche ja, vor der Kirche nein. Womit sie wiederum sich selbst als ideenarme und hilflose Verhinderungspolitiker darstellen.

Viele führen die Spielräume, die sie sich in den letzten drei Jahren erobert haben, auf die Westpolitik ihres Staates zurück. Wenn der DDR-Regierung, deren Politik in den vergangenen Jahren darauf ausgerichtet war, die Nachrüstung zu verhindern, «von Reagan jedes Kalkül unter den Füßen weggezogen wird», so ein Jugendpfarrer in Sachsen, «dann ist hier Feierabend mit unseren Spielwiesen».

Zunächst hatten die DDR-Pazifisten fast nur die Militarisierung im eigenen Land im Blick. Keine der Publikumsfragen beim ersten Dresdener Friedensforum im Februar 1982 galt Polen, der Bundesrepublik oder internationalen Konflikten. Wenn in kirchlichen Stellungnahmen neuerdings immer häufiger die westliche Nachrüstung angegriffen wird, ist das alles andere als eine Pflichtübung an die Adresse Erich Honeckers.

Im März 1983 versammelten sich 120 Vertreter von über 30 Friedensgruppen aus der Berlin-Brandenburgischen Kirche im Ost-Berliner Stadtjugendpfarramt. Einmütig stellten sie sich hinter den schwedischen Vorschlag einer atomwaffenfreien Zone an der Grenze beider Militärblöcke in Europa und ausdrücklich auch hinter die eigene Regierung, die den Plan des schwedischen Ministerpräsidenten Olof Palme unterstützt.

Die Ost-Berliner Theologische Studienabteilung beim DDR-Kirchenbund verlangte im April von beiden deutschen Regierungen, sie sollten zu gleichen Teilen Rüstungsgelder streichen, Soldaten nach Hause schicken und das eingesparte Geld den Polen abgeben, um die Lage in Europa zu stabilisieren.

Nach der Sommerpause wurde in DDR-Friedensgruppen darüber nachgedacht, wie man wenigstens symbolisch auf die Kohl-Regierung einwirken könne. Optimisten setzen auf ein «gewisses moralisches Gewicht von uns» in der West-Öffentlichkeit.

Unterstützung bekamen sie von ihren Oberhirten in beiden deutschen Staaten: Zum Anti-Kriegstag am 1. September 1983 appellierten der Vorsitzende des DDR-Kirchenbundes, Bischof Johannes Hempel, und der Ratsvorsitzende der EKD, Bischof Eduard Lohse, in einem gemeinsamen Brief an Helmut Kohl und Erich Honecker, «auf das dringlichste, sich im Rahmen der jeweiligen Bündnissysteme mit aller Kraft dafür einzusetzen, daß die Verhandlungen in Genf erfolgreich verlaufen, eine spürbare Verringerung der beidcrscitigen Waffensysteme erreicht wird und es zu keiner weiteren Aufrüstung in Mitteleuropa kommt».

Zur Furcht vor den Folgen der Nachrüstung kommen hausgemachte Schwierigkeiten der Friedensgruppen. Zwar erhielten sie innerhalb weniger Monate Zulauf von Zehntausenden Jugendlicher, aber die Fluktuation ist vor allem in den neuen Gruppen groß. Koordination oder auch nur geregelte Information untereinander gibt es kaum. Die Friedenskreise treffen sich meist nur auf Kirchentagen. «Von dem, was ich hier erlebe, muß ich auf meinem Dorf das ganze Jahr zehren», klagte eine Zwanzigjährige beim Rostokker Christentreffen.

Die Amtskirche versucht, sich auf ihre Weise auf den erwarteten Klimasturz einzustellen: Allzu unbequeme Randgruppen werden ferngehalten, Pfarrer und Bischöfe versuchen, eine politische Überfremdung der eigenen Aktivitäten zu verhindern. Der Ost-Berliner Konsistorialpräsident Manfred Stolpe in Dresden: «Wir sind schließlich kein Oppositionslokal.»

Auch das Ausreiseproblem lastet mitunter schwer auf der

kirchlichen Friedensarbeit. In Jena, bis vor kurzem eines der Zentren der Friedensbewegung, «kamen doch auf 20 Friedensgrüppler 15 Ausreisis», höhnt ein Friedensarbeiter. Der Jena-Mythos ist verblaßt, seit die staatlichen Behörden einen ganzen Pulk von renitenten jungen Leuten abgeschoben haben.

Ausreisewillige kamen von weit her, um auf dem Platz der Kosmonauten in der Jenaer Innenstadt für ihren Trip nach Westen zu demonstrieren. Die alte Universitätsstadt war in den Ruf gekommen, eine todsichere Abschußrampe in die Bundesrepublik zu sein. DDR-müde Bürger, die glauben, als Friedenskämpfer schneller aus dem Land zu kommen, könnten, so fürchten die Friedensaktivisten, auch anderswo die Glaubwürdigkeit der Bewegung untergraben.

Die Ausreisewilligen gelten beim Staat als so ziemlich die letzten, mit denen gesprochen wird. Ihre Motive, die sie zur Formulierung eines Ausreiseantrages gebracht hatten, waren recht unterschiedlich. Natürlich gab und gibt es unter ihresgleichen auch engagierte Pazifisten. Viele wollen die DDR aber aus privaten oder nicht direkt politischen Gründen verlassen.

Die Lage der Ausreisewilligen ist hart, da sie sehr bald nach der Abgabe ihres Antrags vom normalen Leben ausgeschlossen werden. Mancher, der in Jena auf dem Platz der Kosmonauten jeden Samstag zwischen neun und zehn Uhr mit weißer Kleidung erschien, um eine Stunde schweigend im Kreis zu stehen, hatte schlimme Jahre hinter sich.

Sie standen nur stumm da, hatten keine Transparente, stimmten keine Sprechchöre an – unterließen also alles, was der staatlichen Genehmigung bedurft hätte. Eine gewaltfreie und friedliche Versammlung (darum auch die weiße Kleidung) mit dem einzigen Zweck, «ein Land zu verlassen, in dem wir uns unerwünscht fühlen», wie es in einem ihrer Schreiben an staatliche Organe hieß. Von Sonnabend zu Sonnabend wurden es immer mehr, anfangs waren es 30, Ende Juli, zur Zeit des Besuches von Franz Josef Strauß in der DDR, knapp 200. Da kamen dann auch Leute aus Merseburg, Dresden, Leipzig und Weimar angereist. Ein solch massenhaftes öffentliches Auftreten von Ausreisewilligen hatte es in der DDR bis dahin noch nie gegeben.

Die Polizei hielt sich anfangs zurück, später ging sie durchaus handgreiflich vor. So am 29. Juli 1983, als die größte Versammlung stattfand. Am gleichen Tag konnte eine Gruppe von rund 50 Personen, die «den stummen Kreis von Jena» seit längerem mitgetragen hatte, morgens um neun Uhr in Gera beim Zollamt ihre Papiere abholen und in den Westen ausreisen.

Ein Erfurter, der an einem Samstagmorgen nach Jena fahren wollte, berichtet: «An den Autobahnabfahrten stehen die Vopo-Wagen und kontrollieren alle Autos, die nach Jena wollen.» Ein Jenaer Bürger: «Samstags ist alles voll Polizei, und wenn ich einen hellen Pullover anziehe, muß ich damit rechnen, angehalten zu werden.»

Das Dilemma zwischen Friedensengagierten, die in der DDR bleiben wollen, und denjenigen, die ihre Ausreise beantragt haben, hatte im Sommer 1983 zu scharfen Auseinandersetzungen geführt. Selbst in der DDR-Friedensbewegung werden die «Ausreisis» immer mehr als Menschen der untersten Klasse angesehen. So wiederholt sich im Alternativmilieu ein Verhalten aus dem stinknormalen DDR-Alltag.

Die Kirchenleitungen, deren eigenständige Friedensarbeit ohnehin dauerndem staatlichen Mißtrauen ausgesetzt ist, können schwerlich die Vorschläge und Aktionen derer zum Maßstab machen, die ohnehin dieser Gesellschaft den Rücken kehren wollen.

Die Jenaer Ausreisewilligen wehrten sich. «Natürlich hoffen wir», schrieben sie in einem Brief an verschiedene evangelische Bischöfe, «so schnell wie möglich die DDR verlassen zu können – aber nur, weil wir hier keine Chance mehr haben, ein normales menschenwürdiges Leben zu führen . . . meinen Sie, daß man jahrelang Repressalien auf sich nimmt, daß man Beschimpfungen auf den Ämtern in Kauf nimmt, daß man, da man kein Einkommen hat, vom Ver-

kauf der Sachen lebt, die man zur Realisierung eines normalen Lebensstandards benötigt, . . . daß man es ohne weiteres
verkraftet, wenn sich Bekannte abwenden, weil sie befürch-
ten, behelligt zu werden, wenn sie mit Ausreisekandidaten
verkehren – daß man all diese Sachen auf sich nimmt ohne
zwingenden Grund?»

Der Ausreiser ist jemand, auf den man nicht mehr zählen
kann, der eines Morgens plötzlich für immer weg sein wird.
Selbst sehr freimütig denkende und diskutierende Partei-
mitglieder, Staatsangestellte, Intellektuelle und Apparat-
leute übertragen ihre Einstellung den Ausreisewilligen
gegenüber oft auf die ganze Szene: «Dieses ganze Prenzlauer-Berg-Milieu kotzt mich an. Die gefallen sich in ihrem Al-
ternativ- oder Künstler-Purismus und haben letzten Endes
doch nur die Ausreise im Kopf», urteilt ein Ost-Berliner
Wissenschaftler. Die «dämliche Untergrundstimmung» bei
privat organisierten Lesungen und Ausstellungen mag er
ebensowenig wie die «naive Aussteigerromantik» siebzehnjähriger Öko- und Friedensfreaks.

Solche markanten Sprüche sollen Verunsicherung ka-
schieren. Denn die neomarxistischen Intellektuellenzirkel
der siebziger Jahre sehen sich in ihren Spekulationen durch
die Realität widerlegt. Die jungen DDR-Protestierer interessieren sich nicht sonderlich für Karl Marx und Rosa Lu-
xemburg, eher schon für Gandhi und die Bergpredigt. Sie
fasziniert vor allem die konsequent gewaltlose Widerstands-
strategie des indischen Nationalhelden.

Allmählich tauchen jetzt die zum Umdenken gezwungenen kritischen Etablierten bei Jugendveranstaltungen der
Kirche oder bei diskutierfreudigen Pastoren auf. Trotz ihrer
unterschiedlichen Denkweisen und Positionen eint sie alle
die Furcht vor Umweltkatastrophen und Kriegsapokalypse.

Zu der politischen Klimaveränderung in der DDR seit
Anfang der achtziger Jahre gehört nicht nur der sich in öffentlichen Auftritten zeigende Ausbruch aus der Nischen-
mentalität. Dazu gehört auch das Zusammengehen zuvor
völlig getrennter kritischer Gruppen. Früher hatte jeder pri-

vat, im Freundeskreis oder bestenfalls im kleinsten Zirkel diskutiert. Diese Zeiten sind vorbei. Trotz grundlegend verschiedener Ausgangspunkte – etwa von Parteimitgliedern und Kirchenleuten oder Jugendlichen und Künstlern – entwickelte man in den letzten Jahren ein gemeinsames Interesse an Friedens- oder Umweltproblemen.

Daß sich auch außerhalb der Szene was tut in der DDR, bewiesen im letzten Sommer 57 Ärzte. Sie schlossen sich zu einer «Initiative gegen den Atomkrieg» zusammen. Die Mitgliedschaft im offiziellen Komitee gleichen Namens wurde ihnen bislang verweigert. Ihre Kritik ist das exakte Spiegelbild der Auseinandersetzung unter westdeutschen Medizinern: Die 57 Mediziner wollen in den DDR-Medien über die Sinnlosigkeit einer ärztlichen Hilfe im Atomkrieg aufklären.

Trotz solcher hoffnungsvollen Ansätze können sich viele aus der jungen DDR-Friedensbewegung einen breiten Einbruch in die DDR-Gesellschaft nicht vorstellen. Wer die Frage nach der Zukunft stellt, dem wird meist bloß das Problem-ABC vorbuchstabiert: Ausreiser, Beziehungsclinch mit dem Staat, Cruise-Missile-Schock.

Viele kirchliche Mitarbeiter fühlen sich überfordert in der Rolle, in die sie in den letzten drei Jahren hineingewachsen sind. Vom Staat mißverstanden, vom Westen vermarktet, von den Jugendlichen bedrängt, von der Kirchenspitze gebremst – so sehen sie sich selbst auf einer eigentlich unmöglichen Gratwanderung.

Ein kirchlicher Jugendarbeiter: «Wenn die Parteileute nur wüßten, wie sehr ich manchmal die jungen Leute zügeln muß, dann könnten die uns eigentlich unheimlich dankbar sein.» Er fühlt sich, wie mancher seiner Kollegen, zum unfreiwilligen Anwalt des Staates gemacht: «Man könnte meinen, ich bin in dieser Kleinstadt der einzige, der sich um Jugendliche kümmert, auch dann, wenn es schwierig wird.» Erst wenn der Rat der Stadt den Eindruck gewönne, er habe nicht mehr alles unter Kontrolle, seien die amtlichen Helfer plötzlich da.

Der Kirchenmann teilt die Heranwachsenden in drei Gruppen ein:

▷ Die einen handeln nach der Devise: «Es ist sowieso bald alles am Arsch, dann will ich wenigstens noch mal kompromißlos leben»;

▷ die anderen «denken bloß ans Abhauen»;

▷ der «immer noch größte Teil will bloß seine Mark machen und seine Ruhe haben».

In Magdeburg sitzen einige Aktive aus Friedensinitiativen beisammen. Sie kommen aus den westlichen Regionen der DDR und aus Ost-Berlin. Im Unterschied zu den jungen bis sehr jungen Basisleuten ist hier der jüngste 35 Jahre alt. Sie kennen sich seit langem persönlich, aktive Leute ihres Alters bilden aber eine Minderheit in den Friedenskreisen innerhalb und außerhalb der Kirchen.

Diese kleine Anzahl erfahrener Mitstreiter ist jedoch für die Arbeit vor Ort unentbehrlich. Sie sind es, die diesen und jenen Genossen kennen und mit ihm mal ein paar Worte reden können. Sie haben Erfahrungen im Umgang mit Behörden, Kirchenbeauftragten und dem Sicherheitsapparat. Für die Heranwachsenden sind sie manchmal die alternativen Autoritäten, die diese brauchen, um die geschwundene oder ohnehin fehlende Autorität der Eltern und Lehrer zu kompensieren. Gespräche wie an diesem Nachmittag in Magdeburg sind jedem in der Runde wichtig. Sie fangen Auszehrung und Frust der alltäglichen Kleinarbeit auf, wenigstens für eine Weile.

Diesmal geht es um die bevorstehende Synode des DDR-Kirchenbundes im September und um die nächste Friedensdekade der kirchlichen Jugendarbeit im November des Raketenjahres 1983. An der Basis hofft man auf ein klares «Nein ohne jedes Ja» zu Atomwaffen beim Kirchenparlament. Das würde die eigene Argumentation stärken, es würde manchem Bürger mit seinem «Da kann unsereiner doch nichts machen» zeigen, daß zumindest der Atompazifismus in der eigenen Gesellschaft hoffähig geworden wäre.

Einer in der Runde sieht keinen Sinn darin, auf Kirchenbeschlüsse zu hoffen. Der Streit um Formulierungen und Resolutionen, so findet er, binde ganz schön viel Kraft. Kraft, die nach seiner Ansicht besser in politisches Handeln investiert werden sollte: «Was uns fehlt, sind nicht noch ein paar schöne Resolutionen, sondern konkrete Ideen, wie Entspannung heute weitergehen kann», hält er seinen Kollegen vor.

Er persönlich würde sich auch nicht als Pazifist bezeichnen, fährt er fort, jedenfalls nicht in dem fundamentalistischen Verständnis, wie es für viele junge Leute kennzeichnend sei. Man müsse das Sicherheitsbedürfnis der DDR in Rechnung stellen. Anstatt aus tiefem Erschrecken über die Hochrüstung sich allem zu verweigern, müsse man sich über Verhandlungsziele zwischen Ost und West unterhalten und auch darüber, welche Vorleistungen zur Abrüstung die DDR bringen könne, ohne ihre Sicherheit aufs Spiel zu setzen. Er verweist auf die Abrüstungsstudie der Ost-Berliner Theologischen Studienabteilung. Darin hatten kirchliche Friedensexperten vorgeschlagen, die Bundesrepublik und die DDR sollten gleichgewichtig ihre Truppen und Militärbudgets verringern. Schließlich habe auch die SED die Idee der atomwaffenfreien Zonen und der Sicherheitspartnerschaft aufgegriffen. So ungefähr denke er sich das, meint der Realpolitiker unter den Versammelten. «Politikfähig werden» ist sein Schlüsselwort.

Das findet nun ein anderer Friedensaktivist ganz und gar «daneben». Ob er denn vergessen habe, wer man sei: «Du tust so, als ob wir mit Erich Honecker so eine Art Genfer Gespräche führen könnten oder wollten!» Ihm liegt viel mehr an «gelebtem Friedenswillen». Ansprechpartner der Friedensgruppen sei nicht in erster Linie der Staat, sondern der Teil der Bevölkerung, den man erreichen könne – «das fängt doch in den Kirchen bei den Christen an. Wer ist denn wirklich bereit von uns, für seine Überzeugungen einzustehen, Reibungen am Arbeitsplatz und mit Behörden in Kauf zu nehmen?» Er beklagt, daß viele erwachsene Christen sich mit Resolutionen zufriedengäben und gegenüber den aktiven Jugendlichen immer bloß bremsen würden. «Es müssen mehr von uns ihren Glauben wirklich leben, das darf doch keine Altersfrage sein.»

Ein Pfarrer aus einer Kleinstadt: «Wir tun hier die ganze Zeit so, als ob wir was zu sagen hätten.» Wenn er morgen früh in sein Städtchen zurückfahre, könne er sich den Empfang dort schon ausmalen: «Der und der hatte ein Verhör, der und der wurde zum Gespräch mit dem Kirchenbeauftragten des Bezirks gebeten, weil mal wieder ein paar Jugendliche aus der Jungen Gemeinde über die Stränge geschlagen haben, und und und.» Wie man sich mit dem Staat über auswärtige Friedenspolitik einigen solle, wenn dem der innere Frieden so egal sei, fragt er. Er sehe ständig, wie Jugendliche als Kriminelle behandelt würden, wie sie «verbittern und resignieren», wie sie von zu Hause und in der Ausbildung erheblichen Druck bekämen, wenn sie in den Friedenskreis gingen. «Wir reden hier über Abrüstungsverhandlungen», regt er sich auf, «und bei uns gibt's nur Gerichtsverhandlungen!»

Die meisten der Teilnehmer gehören zu einer Generation, die anders sein wollte als die, die in den Westen gingen. Sie entschieden sich fürs Dableiben – aber damit auch für ein unbequemes Dableiben als gesellschaftspolitisch mitdenkende Bürger. Und sie setzten sich allmählich von denjenigen älteren Christen ab, die aus dem Schock über den Faschismus heraus zu Sozialisten und schließlich zu Konformisten geworden waren.

Einige dieser Theologen waren ihre Lehrer gewesen. Die Konfrontation mit den gesellschaftlichen Problemen vor Ort als junge Pfarrer und kirchliche Mitarbeiter ließ bei ihnen die Einsicht entstehen, daß es nicht reichen könne, dafür zu sein und ansonsten alles laufen zu lassen. Sie lernten Jugendliche kennen, die alkoholgefährdet waren und ohne Zukunft in ihren Gruppen dahinvegetierten. Sie sahen die Apathie der Eltern und die verständnislose Saubermann-Mentalität der Behörden. Mit solchen jugendlichen Outcasts begannen sie «offene Jugendarbeit».

Sie wurden über solche Gruppen mit Jugendlichen konfrontiert, die mit sechzehn schon herbe Erfahrungen in Jugendwerkhöfen hinter sich hatten, die Ausreise- oder Fluchtaktionen unternommen hatten. Sie hatten stundenlange Gespräche mit Depressiven, die kurz vor dem Selbstmord standen, und lernten überfüllte psychiatrische Kliniken kennen. Kurz, sie machten die Dreckarbeit, die ihnen die Gesellschaft übrigließ, und mußten sich dafür staatliche Verdächtigungen anhören: Sie organisierten und ermunterten Asoziale, sie umgäben sich mit Homosexuellen, Lesbierinnen und staatsfeindlichen Jugendlichen, um sich selbst zu bestätigen.

Und sie eckten an bei den Vielen, die von alledem nichts wissen wollten, weil sie mehr gegen Störenfriede hatten als gegen die Mißstände, auf die sie schimpften, wenn sie unter sich waren. Später kamen die Umwelt- und Friedensthemen ins Bewußtsein, überall entstanden Initiativen. Inzwischen hat das alles Ausmaße angenommen, die ihnen manchmal über den Kopf wachsen. Dann ist es Zeit, sich mal wieder zusammenzusetzen, so wie an diesem Nachmittag in Magdeburg.

Wo man heute in der DDR auch hinkommt und ehrliche Gesprächspartner hat, fallen bald Stichworte wie «Werteverlust» oder «Legitimationskrise des Systems». Solche Gespräche sind selten von Feindseligkeit gegen Partei und Staat bestimmt, weit mehr von einer Mischung aus Traurigkeit, Ratlosigkeit, Galgenhumor, Achselzucken und Abwarten.

«Alles ist so schrecklich festgefahren», sagt ein Rostokker, «es herrscht eine Stimmung wie im Westen zu Zeiten Konrad Adenauers: nur keine Experimente. Jeder ist froh, wenn er sich irgendwie aus dieser oder jener Affäre ziehen kann, für die er dann nicht mehr verantwortlich ist.»

Er glaubt daher, das neue kritische Bewußtsein, das sich in Friedensbewegung, Ökogruppen und unter Partei-Intellektuellen entwickelt, sei für die DDR-Gesellschaft von unschätzbarem Wert: «Da sind genau die Leute dabei, die sich wirklich Gedanken machen, die sich verantwortlich fühlen für dieses Land, für die Zukunft ihrer Kinder. Darum engagieren sie sich doch in Friedens- oder Ökologiegruppen, darum treten sie doch an die Öffentlichkeit, selbst wenn es Nachteile für sie bedeuten kann, darum machen sie doch ein Leben in irgendwelchen Nischen nicht mehr mit.»

Auch leitende Kirchenmänner sehen das so und reden der Partei ins Gewissen. Bischof Johannes Hempel beklagt die umsichgreifende Verbitterung und Enttäuschung und warnt vor der «selbstschädigenden Verkümmerung von Potenzen» in der Gesellschaft.

Geduld und Hoffnung haben viele Jugendliche, vor allem jene, die schon einmal hart angefaßt wurden, längst begraben. «Das sind doch Mumien.» Mit dieser Haltung gegenüber den Etablierten steht ein Punker nicht allein da. Ihm und seiner Generation fehlt – so Hempel – das «Recht auf Zorn» und die «Aufrichtigkeit der Älteren». An der Stimmung im Lande, die dabei rauskommt, dürfte dem Staat eigentlich nicht gelegen sein. Kreative und problemlösende Ideen und Taten lassen die meisten lieber gleich bleiben, weil das doch nur in der Regel unangenehme Folgen hat.

Auch die selbstbewußte Mitstreiterin einer stabilen Friedensgruppe aus dem Süden der Republik wirkt resigniert, wenn sie auf die schweigende Mehrheit im Arbeiter- und Bauern-Staat zu sprechen kommt: «Die meisten sind doch zufrieden. Die sind voll ausgelastet mit Rackern für Trabi und Couchgarnitur.» Ein Funktionär des Kulturbundes aus Dresden fürchtet sich gar vor latentem Haß des Normalbürgers auf Intellektuelle, Künstler und Außenseiter: «Keine drei Monate würden die hier brauchen, dann hätten wir die schönste Pogromstimmung.»

Wenn er die Äußerungen einiger Jugendlicher beim Ost-Berliner Festival «Rock für den Frieden» im Januar 1983 gehört hätte, würde er sich bestätigt fühlen. «Nicht jammern und picheln – hammern und sicheln» stand im Rock-Palast zu lesen. Gefragt, was ihnen dazu einfalle, antwortet ein Lehrling: «Na, ist doch klar! Wenn alle anständig arbeiten

162

würden, dann ging's uns auch besser hier.» Und eins wollte er mal sagen: «Diese ganzen Miesmacher und Nörgler stehn mir bis hier oben hin – die sollen arbeiten, und damit basta.» So kommt die SED-Parole: «Leiste was, dann kannst du dir was leisten» unten an.

Eine Kasseler Jugendgruppe, die 1982 Thüringen bereiste, notierte erschrocken die Erlebnisse von Ost-Pazifisten in einer Kleinstadt bei Eisenach: «Grünjacken! Asoziales Pack! Ihr kriegt hier nichts, macht, daß ihr raus kommt!» – mit diesen Worten weigerte sich der Kneipenwirt, bei dem die DDR-Jugendlichen ihr Bier trinken wollten, sie zu bedienen. Resümee eines Kasseler Besuchers: «In breiteren Bevölkerungsschichten gibt es kaum ein Bewußtsein für die Friedensproblematik.»

Mancher Parteiführer dürfte Gefallen am Haß der Massen auf die Andersartigen finden. Der Gleichklang der antipolnischen Ressentiments von unten und der Anti-Reform-Agitation von oben in der DDR während der Streiks in Polen hat gezeigt, daß und wie sowas funktioniert.

Sobald es aber um fällige Reformen im eigenen Land geht, ist diese geistige Nullösung fatal. Zumal inzwischen in der DDR kreative und kritische junge Leute herangewachsen sind, die niemand eingeplant hatte. Die ungebetenen Neuerer sind dabei, sich das Gewohnheitsrecht auf autonomes öffentliches Engagement einfach herauszunehmen. «Ich bin nicht gefragt worden, was ich zur Pershing und zur SS-20 sage – ich sag's trotzdem», wetterte ein älterer Kirchenmann aus Thüringen bei der letzten Bundessynode. Die Jungen denken ohnehin so.

Die SED wird lernen müssen, daß die innenpolitische und staatliche Normalisierung, die sie sich seit über 30 Jahren wünscht, ihren Preis hat: ein gewisses Maß an Vielfalt und Buntheit im Lande, Freiräume für Innovation und Kreativität.

Solche Freiräume kann die Kirche der unruhigen Jugend eine Zeitlang ersetzen. Doch die will nicht auf Dauer politische Trockenübungen im Kirchenschiff ableisten. Eine

Neuentwicklung der politischen Kultur in der lieblosen Republik hält inzwischen auch der als Mann des Ausgleichs geltende Sachsenbischof Johannes Hempel für «fällig und nötig».

Und noch eins sieht Hempel ganz klar: Die rebellische DDR-Jugend ist dennoch außergewöhnlich zahm. Kanzler Kohl und Maggie Thatcher können – angesichts ihrer weitaus aggressiveren No-future-Jugend – Erich Honecker nur beneiden. Die SED muß sich beeilen. Es könnten sonst immer mehr werden, die sich – frei nach «Trio» – ihren Reim machen: «DeeDeeErr – ich lieb' dich nicht, Du liebst mich nicht!»

«Da ist alles so unheimlich offen»

Jugend zwischen Staat und Kirche

Die Wittenberger Innenstadt ist am späten Abend fast men-
schenleer, sogar wenn Kirchentag ist. Die letzten Veranstaltungen sind spätestens um 23 Uhr zu Ende. Nur auf dem
Marktplatz, zu Füßen des alten Melanchthon, lagern noch
zwei Dutzend Jugendliche. Vom Denkmal her klingt Gitar-
renmusik, leiser Gesang, ab und zu Lachen. Zwischen den
Bluesstücken, die die langhaarigen Jungs und Mädchen in
abgewetzten Klamotten und Flatterkleidern anstimmen,
taucht irgendwann der Chattanooga Choo Choo auf. Jemand bläst auf dem Kamm dazu.

Jetzt steht einer der drei Männer auf, die die ganze Zeit
etwas entfernt auf einer Bank gesessen haben. Die drei hatten schon jedesmal interessiert die Köpfe gehoben, wenn
drüben am Denkmalssockel lautes Lachen aufkam. Die
Freaks am Denkmal brechen die Lindenberg-Melodie sofort ab, als eine der drei Kunstlederjacken näher kommt.
Jetzt spielen sie «We shall overcome». Damit kommen sie
auch durch, der Kunstlederne dreht nach kurzem Zögern ab
und klemmt sich wieder auf die Bank zu seinen Kumpels.

Zehn Minuten darauf treten zwei Herren von der Kir-
chentagsleitung hinzu. Ob sie denn auch alle ein Quartier
hätten, wo sie schlafen könnten, wollen die wissen. Die
Gruppe bejaht unisono. Wer doch noch keins hat, geht irgendwo mit. Wenig später packen sie ihren Kram zusammen
und verziehen sich in ihre Unterkünfte.

Dann ist Totentanz in der Wittenberger City. Die Glocke
schlägt zwölf, und das ist auch das Signal für die Weinstube
im Kreiskulturhaus, die letzten Gäste heimzuschicken. Die

«Eisentür-Bar» – ihr Name rührt von der schweren Feuer-schutztür her, die von einer gestrengen Mittvierzigerin ge-hütet wird –, macht noch ein halbes Stündchen länger. Dann geht die kleine Stadt endgültig zur Ruh'.

Die beiden Mädchen, die extra aus Erfurt nach Witten-berg getrampt sind, erzählen, daß sie «die meisten Kirchen-tage abgeklappert» haben. Und sowas wie nachts am Me-lanchthon-Denkmal sei für sie ein seltener Luxus. Zu Hau-se, auf dem «Anger» in der Erfurter Innenstadt, käme die Vopo schon, wenn sich mehr als fünf Jugendliche auf einem Haufen sammelten. Wer sonst nach Ungarn und Bulgarien trampt, um mal – wie bei Nächten auf der Budapester Mar-garetheninsel – ein paar Wochen lang was Lockeres zu erle-ben, der geht im Lutherjahr als Kirchentagsnomade auf die Walz.

Für drei, vier Tage herrscht aus diesem Anlaß in Rostock, Dresden, Wittenberg und weiteren vier Städten der liberale Ausnahmezustand. Für die Staatsorgane zählen allerdings nur offiziell angemeldete «Kirchentagsbesucher». Wer sich nicht als solcher ausweisen kann, ist ungeschützt. Das muß-ten in Wittenberg zwanzig Jugendliche erleben, die in einer Privatwohnung nächtigen wollten. Wegen ordnungswidri-ger Überbelegung schritten die Ordnungshüter ein: Wer sich nicht schriftlich angemeldet hatte, wurde aus der Stadt expediert.

Am anderen Morgen ereilt fünf andere ihr Schicksal. Sie haben sich an einer Straßenecke niedergelassen, hocken auf ihren Rucksäcken und klimpern auf ihren Gitarren herum. Drei Vopos scheint soviel Unordentlichkeit polizei- und sit-tenwidrig zu sein. Ausweiskontrolle, Fragen nach Anmel-dungen – ab geht's aufs Polizeirevier. Vielleicht läßt man sie nach ein paar Stunden wieder laufen, vielleicht entfernt man sie aus der Stadt – dann hat der Spaß mal wieder ein Ende, dann hängt man mal wieder gefrustet in der elterlichen Bude oder irgendwo mit Gleichaltrigen herum, während in Wit-tenberg High Life ist. Drei Tage im Jahr, wer will sich die schon entgehen lassen?

Ein Jugendpfarrer grübelt. So, wie die Dinge liegen, meint er, sei der «Opium-Vorwurf» gegen die Kirche gar nicht so weit hergeholt. Die Freizügigkeit, die die Kirche den Jugendlichen biete, sei ja gegenüber deren normalem Alltag eine extreme Ausnahmesituation. Kirche im Sozialismus als Opium fürs frustrierte Jugendvolk? Der Pfarrer kennt aus seiner Praxis den «Realitätsknick», die «Leere», die seine Sechzehnjährigen empfinden, wenn sie wieder in der Lehrwerkstatt oder auf der Straße stehen.

Jugenddisko im Ost-Berliner Neubauviertel Marzahn. Um 20 Uhr soll es losgehen. Es ist ein mieser, naßkalter Novemberabend kurz nach Totensonntag. Der Jugendklub der FDJ, in dem die Disko angesagt ist, liegt in der ersten Etage eines Neubaus. Hinauf führt eine Freitreppe aus Beton. Unten haben sich die Diskogäste gesammelt und warten. Auf die Frage, warum sie denn nicht hochgingen, wo es doch regne und in den Klubräumen warm sei, antwortet einer übellaunig: «Na, wir warten, bis wir hochgerufen werden!»

An lauen Sommerabenden ist es auch nicht besser. An einem Abend im Mai stehen Jugendliche vor dem Eingang zur Parkgaststätte «Plänterwald» in Ost-Berlin Schlange. Das Mädchen, das als nächstes dran ist, hält eine brennende Zigarette in der Hand. Der Türsteher – er ist nicht viel älter als die Teenies, die reinwollen – schnauzt sie an. Hier wird nicht geraucht! Das Mädchen versucht sich gegen ihn durchzusetzen, es ist ihr peinlich, sich vor den Gleichaltrigen wie ein Kind zurechtweisen zu lassen. Keine Minute dauert der Konflikt, dann muß sie abziehen – für sie ist der Abend gelaufen. Die anderen stehen betreten herum, der Türsteher spielt sich auf.

Wer in den Klubs der FDJ mitmacht oder zufällig irgendwo arbeitet oder studiert, wo es einen attraktiven Klub gibt, ist gut dran. Jugendliche in den Vorstädten von Leipzig oder Magdeburg, auf dem flachen Land und in tristen Kleinstädten haben es da schwerer. In Jugendsendungen und im kritischen «Prisma»-Magazin ist das DDR-Fernsehen in

den letzten Jahren immer wieder auf deren Situation einge-
gangen. «Prisma»-Redakteure rügten in ihrem Magazin eine engstirnige Bürgermeisterin einer Kleinstadt. Sie hatte
den einzigen Jugendklub geschlossen, weil dort mal ein paar
Biergläser zu Bruch gegangen waren. Jugendreporter vom
Fernsehen klapperten den flachen Norden der Republik ab
auf der Suche nach Freizeitmöglichkeiten für die Jugend.
Das Ergebnis nannten sie «äußerst wechselhaft».

Jugendliche, die vom staatlichen Freizeitangebot sowieso
nichts wissen wollen, gelten schnell als asozial. Man sieht sie
nach Feierabend oder Schulschluß irgendwo in Gruppen
herumstehen. Vor Kaufhallen, vor Kinos und in Hausein-
gängen. Oder sie hängen in Kneipen herum – sofern man sie
reinläßt.

An diese Schmuddelkinder wendet sich die «offene Ar-
beit» der evangelischen Jugendpfarrer und -diakone in der
DDR. Eine Kirche, ein Gemeinderaum oder notfalls die
Privatwohnung des kirchlichen Jugendarbeiters ist der
Treffpunkt. Hier gibt es keine Einlaßkontrollen, keine
Jeansverbote und keine Mitgliedsbücher. Die Jugendlichen
erstmal «annehmen», heißt das im Jargon der Theologen.
Die Angenommenen wollen vom Evangelium nichts wissen.
«Punk lebt – Jesus klebt» steht an der Wand einer Ost-Berli-
ner Punk-Wohnung.

«Die Person des Verantwortlichen spielt eine große Rolle», meint ein Jugendpfarrer. Und der Verzicht auf Kontrolle. Punks, Straßencliquen, «Verhaltensauffällige» sind die
Klienten der kirchlichen «offenen Jugendarbeit». Die läuft
außer Konkurrenz.

Die Ost-Berliner Illustrierte *NBI* brachte im Oktober
1983 einen Report über zerdepperte Telefonzellen. 3650 öffentliche Münzfernsprecher hat die Hauptstadt, 5689 Be-
schädigungen an ihnen mußten allein im Jahre 1982 beho-
ben werden. Kostenpunkt: 1 416 313 DDR-Mark. Leser, die
von der Illustrierten Aufklärung über die Ursachen solcher
Zerstörungswut erwarteten, sahen sich enttäuscht. «Jämmerlich» und «ärgerlich» seien die Aktionen der «Demolie-

rer», hieß es in dem Artikel, «in ihrer Summierung» erreichten sie «gar Verbrechenscharakter». Die Leser wurden aufgefordert, den verbrecherischen Störern das Handwerk zu legen.

Bluesmesse Sommer 1982. Vor dem Altar steht eine nachgebaute Telefonzelle. Das Spiel, das Junge-Gemeinde-Mitglieder aufführen, endet mit der Zerstörung der Zelle. «Lustlosigkeit» ist das Motto der kirchlichen Jugendveranstaltung. Die Kirche in Ost-Berlin ist voll besetzt. Das Spiel vor dem Altar klammert Gründe für solche Aggressivität im Jugendalltag nicht aus: Einsamkeit, Verbote, Unverständnis und Intoleranz der Älteren. Wo anders als hier im Gotteshaus könnte so offen über all das gesprochen werden, wo sonst fände einer der insgesamt sechstausend Besucher Verständnis anstelle von erhobenen Zeigefingern und Strafandrohungen?

Ein kirchlicher «Streetworker» über die Motive solcher Jugendlicher: «Es kommt vor, daß jemand reinkommt und sagt, Du, ich muß mal mit Dir reden. Dann kommen ganz unterschiedliche Probleme: Zu Hause rausgeflogen, Ärger mit dem Meister, irgendwo in der Klemme sitzen, oder ich soll ihm eine Arbeit besorgen.» Und er fügt hinzu, das Wichtigste sei, «daß die Vertrauen zu mir haben». Diese Jugendlichen würden sich, so meint er, auch an jede beliebige andere Institution wenden – bloß, die gibt es nicht. Die «Verhaltensauffälligen», die Eckensteher, Jungtrinker, Motorradcliquen verbucht die staatliche Jugendpolitik zu schnell als Abgänge. Dafür sind die Uniformierten zuständig.

Die kirchlichen Mitarbeiter, die sich mit ihnen abgeben, kriegen auch gelegentlich Druck von ihren Gemeinden. Der Hallenser Jugenddiakon Lothar Rochau wurde erst in dem Moment verhaftet, als die Kirche ihn aus der offenen Jugendarbeit in Halle-Neustadt entlassen hatte. Innerkirchliche Auseinandersetzungen über ihn und seine Arbeit waren der Entlassung vorangegangen.

Auf der Bundessynode der DDR-Kirchen im September 1983 in Potsdam kam es zu einer Kontroverse über das Konzept der offenen Jugendarbeit. Diejenigen, die sie tragen, wollten Verständnis für «Offenheit der Kirche zu den Rändern hin». Diejenigen, die ferner von der Kirchenbasis und näher an der Staatsmacht operieren, pochten auf «durchgängige christliche Identität». Sie möchten die kompromittierende Offenheit gegenüber «randständigen Gruppen der Gesellschaft» am liebsten abstellen.

Diese Gruppen unter den Jugendlichen machen sich indes immer stärker bemerkbar. Ein Jugendarbeiter der Kirche faßte den Trend so zusammen: «Es kommt eine Jugend, die das, was sie vorfindet, nicht akzeptieren kann oder will.»

Aber nicht nur für Randgruppen ist die Kirche attraktiv: Magdeburg, am 12. Mai 1982. Im Dom wird Pater Roger Schutz, der Leiter des christlichen Jugend-Meditationszentrums im französischen Taizé, erwartet. Frère Roger zieht ein anderes Publikum an, verkörpert eine andere Vaterfigur als die Mitarbeiter der offenen Arbeit mit ihren Rauschebärten und Parkas.

Sein gepflegter Haarschnitt, sein milder Gesichtsausdruck und sein weißes Mönchsgewand signalisieren Frömmigkeit und Frieden. Auch er hat eine volle Kirche. Statt elektrisch verstärkter Rockmusik, wie bei den Ost-Berliner Bluesmessen, erschallt hier ein ruhiger meditativer Gesang: «Domine Deus, Filius Patris, miserere nobis.» Nur Kerzen, vorn am Altar aufgestellt oder in den Händen gehalten, spenden spärliches Licht.

Im Umkreis des Altars lagern Hunderte auf dem Steinfußboden. Auf den Knien liegend, wiederholen Pater Schutz und die Magdeburger Jugend viele Male die lateinische Liedzeile, bevor alle zusammen zehn Minuten schweigend verbringen. Der Kontrast zum Feierabendverkehr draußen auf der Straße, zu den schlangestehenden Hausfrauen vor den Geschäften könnte nicht größer sein.

Im Unterschied zur offenen Jugendarbeit zieht es diesmal nicht die Kids aus den Vorstädten ins Gotteshaus. Im Magdeburger Dom dominieren die Sanftmütigen, die christlich erzogenen oder neu hinzugekommenen Jungen und Mädchen. Viele der viertausend im Dom haben den ganzen Nachmittag im Innenhof gewartet. Für die Rucksäcke der Hergetrampten wurde extra ein Nebenraum zur Verfügung gestellt.

Ein Blick in die ergriffenen Gesichter der Fünfzehn-, Sechzehnjährigen widerlegt alle staatlichen Prognosen vom Absterben der Religion. Draußen im sozialistischen Alltag sind Defizite entstanden. An diesem Abend kompensieren sie die Jugendlichen bei dem alten Mann aus Frankreich.

Gegenüber dem Dom, im Haus der FDJ-Bezirksleitung, hängt ein großes Spruchband: «Frieden schaffen – gegen Nato-Waffen». Es ist das Motto der Pfingstmanifestationen des Jugendverbandes. Auch sie sind Versuche, die Gefühle der Jugendlichen zu erreichen. Die FDJ bietet ihnen ebenfalls Elemente von Feierlichkeit, von Ritual und Erhebung über den grauen Alltag.

Die Menge der Blauhemden auf dem Ost-Berliner Bebel-Platz läßt sich genauso mitreißen von den Liedern gegen Nato und Krieg wie das Publikum bei «Rock für den Frieden» von den Friedenssongs der DDR-Popgruppen. Stimmung kommt auch beim alljährlichen FDJ-«Festival des politischen Liedes» auf. Die Jugendorganisation hat nicht nur Produktionsparolen und vormilitärischen Drill auf Lager.

Trotzdem bietet die Kirche auch in dieser Hinsicht mehr. Nicht nur, wenn charismatische Prediger aus dem Westen wie Roger Schutz und Billy Graham in der DDR auftreten. Die Planer der DDR-Kirchentage des Jahres 1983 hatten Jugendveranstaltungen viel Raum gegeben. Gruppendynamische Spiele und symbolträchtige Aktionen, Theater und Musik appellierten ans jugendliche Gemüt.

In Rostock wurden in der überfüllten Jugendveranstaltung des Kirchentages Topfblumen verteilt – so viele, daß jeweils ungefähr sieben Besucher eine bekamen. Die Aufforderung an sie: «Bildet Gruppen, jeweils sieben, macht euch bekannt, tauscht eure Namen und Adressen aus und übergebt einem aus eurem Kreis die Pflanze!» Der solle sie dann pflegen und möglichst mit den anderen, die er vorher nicht kannte, in Kontakt bleiben. Das finden nicht nur Dreizehnjährige gut. Der Rausch totaler Kommunikation spielt für die Teilnehmer an solchen Veranstaltungen eine große, vielleicht die größte Rolle. «Hier kann ich so viele Leute kennenlernen, ganz frei und locker», meint eine Zwanzigjährige.

Ähnliche Auskünfte geben jugendliche Kirchentagsbesucher in Erfurt, wo sie stundenlang unbehelligt auf dem Domplatz sangen und tanzten. Die «Atmosphäre» ist es, die sie anzieht – die «vielen Leute, die viel freundlicher sind als sonst». Für wenige Tage und Nächte entsteht für sie eine Traumstadt, die Kulisse für einen Film, der sonst nie läuft.

Die Formen solcher meditativen und kommunikativen Jugendfeiern ähneln sich. Nachts in der Wittenberger Schloßkirche kommt Gesang auf. Auch hier singt man lateinische Gebete, auch hier hat man von Taizé gelernt. Im Kerzenlicht sitzen sie in kleinen Gruppen beisammen, fassen sich an den Händen, schenken sich untereinander Kleinigkeiten, reichen sich gegenseitig das Abendmahl. Das angestaute Bedürfnis nach Feierlichkeit, nach Ritual ist überdeutlich.

«Geh heute nicht nach Hause, bevor du nicht einen Menschen kennengelernt hast», lautet die Spielregel eines Kommunikationsspiels bei einem Ost-Berliner Stadtjugendsonntag. Solche Angebote sind auf Aktivierung des jugendlichen Publikums angelegt. Sie sollen mitmachen, sich aussprechen, andere ansprechen. Wenigstens Fragen, Probleme, Wünsche auf ein Stück Papier zu schreiben wird bei diesen kirchlichen Veranstaltungen von den Besuchern erwartet.

Viele sind auf so etwas nicht eingestellt. Aus der Schule und vom Jugendverband kennen sie Anordnungen, Auswendiglernen, Disziplin. Unkontrollierte Gruppenbildung, Solidarität untereinander ist dort kein Lernziel. «Ich war anfangs ziemlich niedergeschlagen», erzählt ein Jugenddiakon über seine Arbeit; die Unselbständigkeit der Jugendlichen in seiner Gruppe habe ihn erschreckt. Es habe Wochen gedauert, bis sein Solidarisierungsspiel geklappt habe. Eine

Autoritätsperson habe das gemeinsame Ausschmücken des Gemeinderaumes mit bunten Girlanden immer barsch «verboten». Erst nach vielen Anläufen hätten die Schüler die destruktiven Befehle ignoriert.

FDJ – das ist allerdings nicht nur Anpassung, Berufskarriere, Politik. Die FDJ hat für die meisten vor allem Freizeitwert. 6000 Diskos, Hunderttausende Reisen von «Jugendtourist», Millionen Aufenthalte in Ferienlagern. Angesprochen wird damit der Typ des passiven Konsumenten, der nach Feierabend oder Schulschluß unterhalten werden will. Wer mehr im Sinn hat, fühlt sich von den Blauhemden notdürftig abgefüttert und geistig unterfordert. Das hatten wohl auch die Organisatoren der FDJ-Pfingstmanifestationen 1982 gespürt. Es war die Zeit der ersten großen kirchlichen Friedensveranstaltungen, der Aufnäher und Initiativgruppen. Anders als in den Jahren zuvor forderte der Jugendverband seine Mitglieder diesmal auf, sich Transparente und Stelltafeln selbst zu basteln. Die üblichen «Kampf-Nieder-Weg-Mit»-Parolen wurden um gefälligere ergänzt: «Give Peace a Chance», «Sonne statt Reagan», «Lieber aktiv als radioaktiv». Aktiv sollten die Mitglieder auch beim Herstellen von Stirnbändern werden, die man sich von der Kirchenjugend abgeguckt hatte. Das gab zwar ein bunteres Bild als bei früheren FDJ-Aufmärschen, nicht jedoch politische Vielfalt und Spontaneität. Hier liegen die Motive für ein weiteres jugendliches Potential, das es in die Kirche zieht – die Oberschüler, die kulturell, politisch, philosophisch Interessierten.

Eine Diskussionsrunde zum Thema Faschismus sitzt auf Schloß Mansfeld zusammen. Die kirchliche Jugendarbeit hat Jugendliche der Magdeburger Gegend übers Wochenende eingeladen. Eines der Hauptthemen: «Was geht uns die Vergangenheit an?» Abends im Kaminzimmer wird erst aus Christa Wolfs Roman «Kindheitsmuster» vorgelesen, dann trägt die neunzehnjährige Frederike jiddische Lieder vor. Später wird diskutiert, ob man eigentlich den Faschismus bewältigt habe.

Ein Teilnehmer: «Bei uns wird immer nur über die wirtschaftlichen und politischen Ursachen und Wirkungen des Faschismus gesprochen. Aber wie es dazu kommen konnte, daß so viele mitgemacht haben, bleibt offen.» Ein Schüler über Unterricht und Schulbücher: «Es wird viel darüber informiert, wer alles dagegen gekämpft hat, kommunistischer Widerstand, Einheitsfront und so. Aber über die, die dafür waren, erfährt man eigentlich nichts.» So entsteht der Vorschlag, jeder solle nach dem Wochenende doch mal zu Hause nachfragen, was Vati, Mutti und die Großeltern damals – und nicht heute – gedacht und gemacht hätten.

Dann kommt das Kamingespräch auf Minderheiten. Deren Verfolgung sei ein Kennzeichen des Faschismus gewesen, so meinen die Jugendlichen. Und heutzutage gebe es da auch noch jede Menge Vorurteile. Das Verhältnis zu den Polen sei reichlich angespannt, und Afrikaner und Asiaten, die sich zur Ausbildung in der DDR aufhielten, würden oft schief angesehen.

Eine Gruppe aus Magdeburg hat die Geschichte der dortigen Judenverfolgung erforscht und einen Vortrag dazu vorbereitet. Den anwesenden Jugendlichen aus dem Ost-Berliner Stadtteil Weißensee gefällt die Initiative. Sie nehmen sich vor, bei sich zu Hause das gleiche zu tun.

Ob auf großen Podiumsveranstaltungen, bei Akademie-Tagungen oder in den Rüstzeiten und anderen Wochenendtreffen der Christenjugend – wen an Politik und Geschichte mehr interessiert, als er in diesen Fächern in der Schule geboten bekommt, der findet seine Diskussionspartner bei der Kirche. Dort geht es längst nicht mehr nur um Wehrkunde und Wehrdienstverweigerung. Homosexualität, Faschismus, Geschlechterbeziehungen, Franz Kafka und Rainer Werner Faßbinder, Probleme des Lebens auf dem Lande und die Unwirtlichkeit der großen Städte – in ihren Seminaren bieten evangelische Akademien Schülern und Studenten das Themenspektrum, das sie bei den Vorträgen der «Urania»-Gesellschaft und der Volkshochschulen nicht finden. Auch Schriftsteller und Liedermacher zieht es zu kirchlichen Institutionen und Gruppen. Entweder weil sie ansonsten keine Auftrittsmöglichkeiten mehr haben, oder freiwillig, aus Interesse an den Leuten, die sie dort treffen.

An der Person von Bettina Wegener entzündeten sich verschiedentlich innerkirchliche Querelen. Eine Basisgruppe lud sie ein, die örtliche Kirchenleitung sagte ihr ab – so geschehen in Halle.

Den Schriftsteller Franz Fühmann zieht es beispielsweise nach Fürstenwalde. Dort bietet die Kirche Gelegenheit für Diskussionen zwischen ihm, Nachwuchsliteraten und anderen interessierten jungen Leuten. Hinzu kommt die Kulturarbeit der Kirche. Orgelkonzerte und Ausstellungen waren beliebte Szene-Treffpunkte längst vor der Politisierung der Kirche, wie sie in den letzten Jahren um sich griff. Die Kirche verkörpert für manche einen Rest von Geschichte in einem Land, das sich jahrzehntelang eines großen Teils seiner Traditionen entledigen wollte. Hier liegt unter anderem der Reiz für Neunzehnjährige, ein Studium der Theologie zu beginnen.

Für die Masse derer, die in Junge Gemeinden und zu Kirchentagen strömten, galt lange Zeit, was 1980 ein Jugendpfarrer so beschrieb: «Die meisten Jugendlichen, die in die Gemeinde kommen, kommen nicht in die Kirche, das heißt, sie gehen ihrem Bewußtsein nach nicht in die Kirche, sondern sie gehen in eine Jugendgruppe.» Er führte das auf die Lebensphase zurück, auf ihre Orientierungssuche. Auseinandersetzung mit Religion, Beschäftigung mit der Bibel kommen erst später hinzu.

Ein Mädchen aus seiner Gruppe ergänzte den Pfarrer: «In der Schule hat man nicht so die Möglichkeit gehabt, über sich und seine Probleme zu reden. Ein paar Freundinnen haben mir dann gesagt, komm doch mal mit, da ist alles unheimlich offen. Seitdem bin ich bei der Jungen Gemeinde.»

Je mehr sich die Kirche politisch profiliert, desto deutlicher schälen sich die Motive heraus. Überall in der DDR bestehen heute kirchliche Basisgruppen, die sich mit den unbequemen Standardthemen Frieden und Umwelt befassen.

Der kirchliche Freiraum präsentiert sich nach außen nicht mehr nur als «unheimlich offen».

Das Resümee des Jugendpfarrers von 1980 scheint bereits wieder überholt. Es habe eine Zeit gegeben, so meinte er, «da waren ausgesprochen sozialkritische Fragestellungen wichtig, auch gesellschaftspolitische» – dies sei zurückgegangen zugunsten ganz privater, existenzieller Jugendfragen. In den drei Jahren seit 1980 hat sich schon wieder eine Wende vollzogen – noch nie war die DDR-Kirche so sehr politisiertes Jugendzentrum wie heute.

Sie wurde es, stellvertretend für Staat und Jugendverband, weil diese alle Themen und Bedürfnisse, die Zehntausende zum Kreuz hinziehen, unbeachtet ließen.

Auf die neue Generation, die erstmals in größerer Zahl aus dem eingespielten Doppelleben aussteigt, hat bisher nur die Kirche reagiert. Vom Staat kommt deshalb der unterschwellige Vorwurf, sie lasse sich für kirchenfremde, politische Ziele ausnutzen.

Der Konflikt ist so programmiert – die kirchliche Ersatzgesellschaft ist kein Dauerzustand, die Kirchenjugend wird sich nicht immer damit zufrieden geben, politische Trockenübungen im Kirchenschiff zu vollführen.

«Was wir uns momentan an Veränderung wünschen», sinniert ein Jugendpastor, «ist eigentlich gar nicht soviel: mehr Lockerheit, mehr Menschlichkeit im Umgang miteinander, ein freundlicherer Ton . . . vielleicht das Augenzwinkern, mit dem staatliche Gesprächspartner auch reagieren könnten, anstatt bei jeder Kleinigkeit gleich Sicherheitsapparat und Justiz voll auffahren zu lassen.»

10
«Wir saufen und fressen uns Charakter an»

Der Vergleich mit dem Westen

Gespenster gehen um im Arbeiter- und Bauernstaat. Sie heißen «Unbehagen», «Aussteigerkultur», «Wehrdienstverweigerung». Sie spuken bei Punkkonzerten und Dachbodenausstellungen, bei Fahrraddemonstrationen und Friedenswerkstätten. Manchmal füllen sie ganze Kirchenschiffe.

Das jugendliche Unbehagen bleibt merkwürdig diffus. Kein Programm, keine Partei, kein 17. Juni 1983. Solche Erwartungen narrt der Ost-Berliner Jung-Lyriker Uwe Kolbe:

> «Wir sind zwischen zwanzig und dreißig, sind viele und denken scharf.
> Wir haben keine Fragen.»

Und:

> «Wir kommen vom Überbau her.
> Generäle stünden zu uns, munkelt man.
> Bald schlagen wir los, solange saufen und fressen wir uns Charakter an,
> täuschen wir die Bourgeois mit dem Schein des Gleichseins.
> Dann bricht die Revoluzzion los.
> Wir warten noch auf die Genehmigung der Sache von seiten der FDJ, des Ministeriums für Kultur, des ZK der SED und der Gruppe sowjetischer Streitkräfte in Deutschland.»

Begriffe bieten sich an: Wertekrise, Generationskonflikt, Subkultur. Ein Teil der jungen Generation versteht nicht mehr, wie ihre Eltern leben. Sie pfeifen auf Bildungschancen und Berufskarriere, begnügen sich mit einem Leben am Rande des Existenzminimums und schicken sich in den per-

manenten Kleinkrieg mit Volkspolizei und Staatssicherheit
– nur um anders zu leben als ihre Alten. Die neuentdeckte
Boheme und die Kunst um der Kunst willen, Proletenlook
und Protestkultur sind es ihnen wert. Der ungeliebten
Kleinbürgeridylle ihrer Elternhäuser trauert sowieso keiner
nach.

Und wenn sie es sich mit sechsundzwanzig doch noch anders überlegen, ist da immer noch die Kaderakte, die über
alle Fehltritte unerbittlich Buch führt. Am Ende der Sturm-
und Drangjahre steht vielleicht eher der Ausreiseantrag als
das Angebot der Resozialisierung.

Auch die intellektuellen Kritiker in der DDR haben heute anderes im Sinn als die Harichs und Havemanns der fünfziger und sechziger Jahre. Naturwissenschaftler sind beunruhigt über den Preis des industriellen Fortschritts. Mediziner wollen ihren potentiellen Patienten klarmachen, daß die
ärztliche Kunst in einem möglichen Atomkrieg nichts mehr
wert sei. Planer plädieren für mehr Lebensqualität als erstes
Kriterium bei der Stadtentwicklung. Theologen thematisie-
ren die Deformationen der Leistungsgesellschaft und fordern die «kritische Partizipation der Bürger». Gemeinsam
mit Künstlern und anderen Engagierten setzen sie ihre Unterschriften unter Resolutionen, in denen Rüstung und Militarismus in Ost und West verurteilt werden.

Punker-Protest am Prenzlauer Berg und Kreuzberg, Pazi-
fisten-Demonstrationen in Bonn und Ost-Berlin, Öko-
Freaks in Hamburg und Leipzig, Schwulen- und Frauengruppen beiderseits der Grenze. Eine deutsch-deutsche Pa-
rallele?

Nein, denn es gibt nicht nur zahlenmäßige Unterschiede,
sondern auch qualitative: bei den politischen Rahmenbedin-
gungen, in denen sich die jeweilige Szene entwickeln kann,
und auch bei den Gründen, die zum Ausstieg aus dem traditionellen Lebensweg führen.

Die heutige Protestgeneration in der DDR hat ein verän-
dertes Verhältnis zum Westen. Wer sich früher in der anderen deutschen Republik gegen den Staat auflehnte, für den

war der Westen die uneingeschränkte Alternative. Er hielt gleichzeitig mit seinem persönlichen Aufbegehren – zumindest mußte es den betroffenen Funktionären stets so erscheinen – dem Arbeiter- und Bauernstaat einen Spiegel vor, in dem der Westen gülden leuchtete. Auch die Partei ließ sich davon blenden, den Westen «einholen und überholen» hieß ihr Allheilmittel gegen die Unzufriedenheit der Bürger.

Doch wie die böse Stiefmutter im Märchen, die sich allen Anstrengungen zum Trotz vom Spiegel immer wieder entgegenhalten lassen mußte, daß Schneewittchen doch tausendmal schöner sei als sie, blieb die DDR im Vergleich mit dem Westen stets im Hintertreffen.

Jetzt ist Schneewittchen in die Wechseljahre gekommen. Der Westen mit seinen zahllosen Problemen leuchtet matter. Er hat in der DDR interessanterweise gerade in jenen Regionen die alte Anziehungskraft eingebüßt, in die er über seine Medien hineinstrahlt. Das Bild vom «goldenen Westen» hat sich dagegen dort am stärksten erhalten, wohin das West-Fernsehen nicht senden kann und wo westliche Zeitungen und Bücher Raritäten sind.

Schon für die in den siebziger Jahren herangewachsene Generation war der Westen kein anständiger Westen mehr. Um so mehr erfahren das die DDR-Kids der achtziger Jahre. Ihr Vorbild ist nicht mehr die benachbarte Konsumrepublik, auch wenn die Oma für sie immer noch die Jeans und anderes Outfit mitbringen muß.

Was der zweiundzwanzigjährige Christian aus Ost-Berlin über den Westen sagt, ist typisch für viele seiner Freunde:

Also, wenn er gehen würde, dann nur nach West-Berlin. Nicht, daß er nicht weiter herumreisen wollte, endlich einmal London, Amerika, Griechenland und so. Da ist er natürlich scharf drauf. Aber leben – leben möchte er in West-Berlin.

«West-Berlin» meinen die meisten Jugendlichen der Ost-Szene, wenn sie «Westen» sagen. Für sie ist die Halbstadt inmitten ihres Landes nicht minder attraktiv als für die gleichaltrigen Aussteiger, Alternativen und Jungkünstler aus «Wessiland». Die zahllosen Projekte, in dicken Alternativ-Adreßbüchern aufgelistet, sind für Christian die neuen Attraktionen – das reicht vom Galeriecafé übers Tanztheater bis zum Ökodorf. Die Faszination für die Aussteigeroase West-Berlin in der heutigen DDR-Jugendszene markiert eine neue Entwicklung.

Für Leute wie Christian gibt es zur Zeit kein System, in dem sie uneingeschränkt gerne leben möchten. Drüben, sagt er, habe man «zwar größere Freiheiten, aber die immer und in allen Fragen vorhandene materielle Orientierung und die starke konservative Strömung in der Gesellschaft» machen ihn skeptisch. Verlockend erscheinen ihm dagegen am Westen «die größeren Möglichkeiten, einmal selber Initiativen aufzubauen, kreativer zu sein und sein Reden und Handeln nicht ständig rechtfertigen zu müssen, ewig wie ein dummer Schüler einem übermächtigen Erziehungsberechtigten untergeordnet zu sein».

Als im Frühjahr 1982 grün-alternative Radler aus West-Berlin die letzte Chance vor der Autobahnfreigabe nutzen, mit dem Fahrrad über die alte Fernstraße F 5 durch die DDR nach Hamburg zu fahren, scheut eine Gruppe Ost-Berliner Jugendlicher keine Mühe, wenigstens einmal mit der West-Szene ein gemeinsames Müsli-Frühstück einzunehmen. Obwohl die Radfahrer von zahlreichen Verkehrspolizisten eskortiert werden, biegt verbotenerweise ein Teil von ihnen kurzfristig vom vorgeschriebenen Transitwege ab und findet sich zu früher Stunde bei Freunden im Garten einer märkischen Kleinstadt ein. Lautes Hallo, man fällt sich in die Arme, der Tisch ist schon gedeckt. Die Gruppe aus Berlin-Ost, seit fünf Uhr morgens mit diversen Verkehrsmitteln unterwegs, hat Tee gekocht, Milch und frisches Obst bereitgestellt. Die Freunde aus Berlin-West schnallen die Tüten mit der Müslimischung vom Gepäckständer und offerieren dazu als Frühstückszeitung einige Ausgaben der Kreuzberger *Besetzerpost*. Teller, Schalen, der Tisch und die Stühle sind noch taufeucht. Niemand

180

stört's, die Zeit ist knapp für das riskante Treffen, man hat sich viel zu erzählen.

Doch soviel Mühe ist den Ostlern nicht jede Begegnung mit jungen Leuten aus dem Westen wert.

«Mir haben zwei Mädchen aus der DDR erzählt, wie sie uns ‹Bundis› empfinden», berichtet ein Jugendlicher aus Kassel, der mit Freunden die DDR bereiste. Deren Westler-Spott gibt er so wieder: «Die Bundis kommen. Man erkennt sie fast immer sofort. Knallenge Levis-Jeans oder Streifenhosen, Adidas und Prinzenrolle. Sie kommen über die Grenze, über die wir fast niemals kommen dürfen. Sie bekommen Fleisch, Bockwürstchen und Sahnetorte in der Jugendherberge und wundern sich, daß wir vor Fleschereien und Gemüseläden Schlange stehen. Morgens erheben sie sich stöhnend aus den Betten in den Sechser-Zimmern, motzen über die Waschräume und wollen zurück in ihre Einzelzimmer mit Bad und Toilette. Sie lachen sich halbtot über die Brille des Typen auf dem Bild im Speisesaal, bewundern gegenseitig ihre neuen Kontaktlinsen und wissen nicht, daß sie eben über Erich Honeckers Augengläser geredet haben. Mit der viel zu unmodernen Straßenbahn wollen sie nicht fahren und zu Fuß gehen auch nicht, weil hier alles so drekkig ist. Zu Hause werden die Straßen dauernd gefegt und gepflegt. Für die eigene Pflege haben sie Seife aus Köln, zwanzig Sorten zur Auswahl, und eine Anzahl Cremes und Wässerchen, Haarwaschmittel für jedes Haarproblem, für jeden Pickel eine Spezialbehandlung. Unsere Geldscheine sind zu klein, die Häuser zu alt, das Brot zu billig, die Kartoffeln zu hart, die Straßen zu holprig, die Leute zu langweilig. Insgesamt sind sie sowieso was Besseres, wir was Schlechteres, aber es war ganz lustig, in der DDR gewesen zu sein – und nächstes Jahr geht es wieder nach Spanien.»

Für solch demonstrative Anti-West-Haltung mag zwar die konkrete Empörung über diese oder jene Bekanntschaft den Anlaß gegeben haben. Es drückt sich darin aber ebenso das Mißfallen über eine Elterngeneration aus, die – mehr oder weniger heimlich – so versessen auf den Westen ist und dem eigenen Land kaum positive Seiten abgewinnen kann.

Hierin unterscheidet sich die Mehrzahl der jungen Engagierten von ihren Müttern und Vätern. Der Systemvergleich läuft bei ihnen nicht mehr über das wechselseitige Aufrechnen materieller Leistungsfähigkeit: was gibt es nicht alles im Westen, was fehlt noch alles im Osten.

Wenn in Leipzig Messe ist, ist der Westen in der Stadt. Dann zeigt sich die irrationale Bewunderung der Mehrheit für den Westen, die Kehrseite der alltäglichen Überanpassung.

Die Gaststätte neben dem Capitol-Kino ist voll besetzt zur Mittagszeit. Ein Tisch voll Westler rechts in der Ecke; sie sitzen unsicher herum, flüstern und sehen sich verstohlen die anderen Deutschen an. Am Nebentisch ein unverkennbarer DDR-Typ. Er ist etwa zwanzig und blättert gierig in den Hochglanzprospekten, die er an westlichen Messeständen ergattert hat. Vor ihm auf dem Tisch liegt eine Packung «Camel»-Zigaretten, er bestellt sein drittes Bier.

Die Frage, ob es hier was zu essen gebe – es liegen keine Speisekarten aus – beantwortet er ohne hinzusehen: «Hier doch nich! Nee, ach was, hier gibt's nix!» Er sagt es in jenem Tonfall, der ironisch sein soll und verbittert ankommt. Der dem naiven Westler unmißverständlich bedeuten will, daß er mit so einer Frage völlig daneben liegt, daß hier nun wirklich der Ofen aus ist. Fünf Minuten später kommt die Kellnerin, bringt die Speisekarte mit einem Dutzend Gerichten und widerlegt den einheimischen Miesmacher.

Doch auch für die brave Mehrheit leuchtet der Westen schwächer. «Ist es mit der Arbeitslosigkeit wirklich so schlimm bei euch? Meinen Sie, ich hätte eine Chance?», lautet die Standardfrage ausreisewilliger DDR-Bürger an den Westler im Jahre 1983. Die schlechten Karten, die tagein tagaus in den SED-Medien dem Westen ausgestellt werden, bestätigt dem ungläubigen Ost-Fernsehvolk seit Jahren der West-Kanal: Arbeitslosigkeit, Inflation, Aufrüstung, Neofaschismus, Anarchismus, Jugendunruhen . . . Das schreckt ab, da ist man in seiner sichereren Nische im Osten doch gar nicht so schlecht dran.

Viele der Jungen verachten diese Lebenseinstellung der klammheimlichen Westler, die zwar dauernd motzen, aber wenig Würde und Selbstbewußtsein aus ihrer Lage ziehen. Ihnen gegenüber sind eigentlich die kritischen DDRler die besseren DDRler.

Ost-Ökologen geht Selbstkritik über Staatskritik, DDR-Pazifisten bieten noch beim Stasi-Verhör ihrem Gegenüber den «Dialog» an, und Ost-Berliner Punks leben gewaltfrei. Die Protestler im Osten legen eine für Westler schier unfaßbare Geduld mit ihrem Staat an den Tag.

Krawalle wie in Brighton und Krefeld finden in Erfurt und Rostock nicht statt. Ex-Kanzler Schmidt redete denn auch Honecker beim Treffen im September 1983 zu, seinen Friedensstreitern an der Basis mehr Raum zu lassen.

Die DDR-Pazifisten selbst begründen – quer durch die Generation – ihren strapazierfähigen Geduldsfaden mit dem «Angsttrauma» der SED. Mit der Sanftmut und der Souveränität von Therapeuten reden sie über die Staatspartei wie über einen komplizierten Fall. Tatsächlich reagiert die SED schon bei minimalen Herausforderungen nervös. Als im östlichen Nachbarstaat die unabhängige Gewerkschaftsbewegung anschwoll, ergriff die Partei panische Angst vor der völlig unwahrscheinlichen Wiederholung der polnischen Insurrektion im roten Preußen. Der Kirchentag von Eisleben fiel auf den 17. Juni 1983. Das Stasi-Aufgebot war – im Unterschied zu anderen Kirchentagen – enorm und für jedermann sichtbar. Die Erschreckten wollten abschrecken – man kann nie wissen.

Die Partei demonstriert eine ins Irrationale reichende Angst vor jeder unkontrollierten Bürgerinitiative. Volkserhebungen kennt sie nur als gegen sich gerichtet, als rechts und nationalistisch.

Zum Schock des 30. Januar 1933, der auch die Autoren des westdeutschen Grundgesetzes Sicherungen gegen direkte Demokratie und Parteienwirrwarr einbauen ließ, kommt bei der SED das Trauma des 17. Juni 1953. Es ist das einheitssozialistische Kindheitstrauma eines von den Siegern geschenkten, nicht selbst erworbenen und darum stets unsicher scheinenden Machtmonopols. Ihre politische Urangst vor dem Volk lähmt die SED, wenn eigentlich Reformen fällig wären, und sie betäubt bei ihren Funktionären oft jedes Gespür für die neue Lage.

Ein politisches Konzept für den Umgang mit der unruhigen Jugend ist im Handeln der Partei jedenfalls nicht erkennbar. Beides existiert heute nebeneinander: Denunziation und Verfolgung eines Bürgers auf dem Lande, der einen politischen Witz gerissen hat – ganz im alten Stasi-Stil – und Duldung unverfrorener Straßenhappenings in der Großstadt.

Am 7. Oktober 1983, dem 34. DDR-Gründungstag und «Nationalfeiertag», machte sich die Ost-Berliner Szene einen besonderen Spaß: Zum Auftritt einer Rockgruppe auf dem Alexanderplatz wurden zu dem Lied «Toter Wald» ein halbes Dutzend Rauchbomben aus NVA-Beständen gezündet. Nach gelungener Aktion freute sich die Szene über den Publikumserfolg des provokativen Anti-Kriegsspiels: «Endlich mal 'ne richtig tolle Idee!»

Je hemmungsloser solche Ideen realisiert werden, je dreister sich die Szene in aller Öffentlichkeit breitmacht, desto alberner und antiquierter steht der Kontrollapparat da. Er steht und fällt mit seiner stillschweigenden Voraussetzung, dem autoritären deutschen Nationalcharakter. Daß diese Voraussetzung schwindet, erfährt der Stasi-Mann im olivgrünen Anorak oder in der schwarzen Kunstlederjacke vor allem bei den großen Kirchenveranstaltungen.

Einst Gegenstand politischer Witze und westlicher DDR-Kritik, steht der Stasi-Beamte eigentlich nur noch dumm im Weg, wenn Zehntausende sich öffentlich versammeln – wie ein Relikt aus einem alten Gangsterfilm. Er sinkt von einer gefährlichen zur komischen Figur herab. Man zeigt mit den Fingern auf ihn und seine dicht beieinanderstehenden Kollegen, man grinst über sie.

Wenn sie, in ihrer ungeschickten Art, dann auch noch die falsche Dienstgarderobe anlegen, ist die Slapstick-Klamotte perfekt. Beim Wittenberger Kirchentag erschien die Stasi-Truppe zum feierlichen Gottesdienst in Freizeitkleidung und zur Jugendveranstaltung im seriösen Feiertagsrock.

Auch im Kleinformat erleidet die Repression nach Großväter-Art einen Prestigeverlust. Szene-Jugendliche ärgern sich über ihre Vernehmer, ihre ABVs und «Memphis»-Männer, sie foppen sie aber auch, wo es nur geht, und feixen hinter ihrem Rücken über die «dummen Bullen».

Ganz oben scheint man aus dem Autoritätsschwund bei den unteren Organen Konsequenzen zu ziehen. Angehörige der DDR-Friedensbewegung berichten erschrocken über eine Eingreiftruppe mit dem Namen «Zentrale Kräfte der Schutzpolizei (ZKS)». Mitglieder dieser neugebildeten Einheit tauchten, so heißt es, in Polizeiuniformen in Wohnungen auf, um Haussuchungen und Verhöre vorzunehmen. In manchen Regionen scheint die Obrigkeit ohnehin entschlossen, den drohenden Autoritätsverlust von vornherein zu verhindern. Die Jenaer Massenverhaftungen und die wiederholten Festnahmen in Halle – wie von 300 Punks im Oktober 1983 – deuten darauf hin.

Gegen sture Bezirksbosse und zentrale Rollkommandos ist die Szene machtlos. Das verstaubte Netzwerk der Kontrolle jedoch, dessen leibhaftiges Symbol der kleine Spitzel ist, verliert seinen Sinn, wenn ganze Gruppen aus der Anonymität des heimlichen Motzens heraustreten. Das Kontrollsystem rechnete mit dem allgemeinen Doppelleben. Es galt, den nur nach außen angepaßten Bürger zu beobachten, zu ertappen.

Wer mit Aufnähern, Stickers und Protestplaketten herumläuft oder sich die Haare grün färbt, durchbricht das Klima der ängstlichen Heimlichkeiten.

Das Tempo, in dem die Jugendszene aufblüht, ist rasant. Was gestern noch atemberaubend gewagt war, ist heute gang und gäbe. Was heute unvorstellbar scheint, kann heute abend schon geschehen. 1980 wagte niemand, sich eine kritische Großveranstaltung in der DDR vorzustellen, nach der man unbehelligt nach Hause gehen könnte. Seit dem Dresdener Friedensforum am 13. Februar 1982 ist kaum ein Monat vergangen, in dem nicht irgendwo in der DDR ein kirchliches Friedensmeeting mit wenigstens einigen hundert Teilnehmern stattfand.

Im Frühjahr 1982 drohte mit der rigorosen Verfolgung der «Schwerter-zu-Pflugscharen»-Aufnäher die unabhängige Friedensbewegung zerschlagen zu werden. Im Westen erschienene Bücher, die das Symbol nachdruckten, wurden von manchen DDR-Kirchenleuten mit dem Hinweis auf die prekäre Lage der Friedensinitiativen in der Ostrepublik gerügt.

Zur kirchlichen «Friedensdekade 1983» im November sind Materialien der evangelischen Jugendarbeit erschienen – auf dem Deckblatt prangt das einst verfemte Abzeichen. Auch in DDR-Kirchenzeitungen, in Schaukästen, auf Plakaten und Transparenten taucht es – mit staatlicher Genehmigung – ständig auf.

In einer Diskussionsrunde wehrten sich FDJ-Funktionäre gegen Kritik aus den eigenen Reihen: Etliche waren sauer über die barsche Zurückweisung ihres Lieblings Udo Lindenberg durch die DDR-Behörden. In den Augen von Philipp Dyck, dem Kulturverantwortlichen im FDJ-Zentralrat, ließ Lindenberg eine genügend «klare politische Haltung» vermissen. Ein dreiviertel Jahr später ist Udos «Sonderzug nach Pankow» ins Rollen gekommen. «Erich» bewies, daß er nicht «so'n sturer Schrat» ist und versprach Lindenberg eine DDR-Tournee. Der Preis: einmal jodeln für den Frieden im «Palast der Republik».

Innerhalb der Szene vollziehen sich die Entwicklungen noch hastiger. Immer neue Veränderungen sind zu beobachten. Daß etwas in Bewegung gekommen ist, ist für Lebensgefühl und Erfolgsempfinden der Ost-Szene mindestens ebenso wichtig wie die – bisher ausgebliebene – Erfüllung ganz konkreter Forderungen. Wehrerziehung findet weiter statt, die Autobahn durch mecklenburgische Naturschutzgebiete wird gebaut, und der Wald im Erzgebirge geht seinem sicheren Ende entgegen.

Für den Wittenberger Pfarrer Friedrich Schorlemmer sind aber Veränderungen in der Stimmungslage der sozialistischen Nation das Wesentliche.

DDR-Besucher, findet Schorlemmer, beklagten immer wieder die «gedrückte Atmosphäre, gedrückte Menschen und wenig Farbe». Er wolle daran arbeiten, «daß es lockerer, farbiger, vielfältiger wird, daß Menschen Lust haben, hier zu leben». Auch bei den Behörden gebe es Leute, die «wirklich Vertrauen wagen», ohne «gleich wieder bitter» zu werden. Schorlemmer wünscht sich, daß die Erkenntnis weiter um sich greife, daß «es auch anders geht im Verhältnis zwischen Regierenden und Regierten», im Sinne eines fruchtbaren und kritischen Dialogs.

Erich Honecker resümierte im Herbst 1983 die staatliche Politik gegenüber der unbequemen Kirche mit der Bemerkung, man habe schon «viel an Vertrauen gewagt». Wieviel man in der Innenpolitik und in der Außenpolitik wagen solle – darüber besteht innerhalb der Partner keine Einigkeit.

Die SED-Führung sieht Parallelen zwischen der aufmüpfigen Jugendszene daheim und der Alternativbewegung im Westen. Die Reaktionen der Partei reichen von propagandistischen Rundschlägen bis zu halbwegs flexiblen Antworten. Der «Wissenschaftliche Rat für Grundfragen des ideologischen Kampfes zwischen Sozialismus und Imperialismus» empfahl schärfsten ideologischen Kampf gegen das grünliche «kumulative Gebilde», das sich im Westen zusammenbraue.

Erich Honecker hingegen empfahl den Bonner Grünen Petra Kelly und Gert Bastian nach deren Alexanderplatz-Aktion im Mai 1983, sie sollten doch beim nächstenmal vorher Bescheid sagen, dann ginge alles klar. Kelly, Bastian und andere Grüne hatten sich mit pazifistischen Transparenten auf den Ost-Berliner Alexanderplatz gestellt und waren nach einer Viertelstunde von der Polizei abgeführt worden. Der offizielle Besuch der Grünen ein halbes Jahr später zeigte die Möglichkeiten und die Grenzen des Honecker-Kurses recht deutlich. Neben Petra Kelly in ihrem «Schwerter-zu-Pflugscharen»-T-Shirt lächelte der Staats- und Parteichef sogar mit einem «persönlichen Friedensvertrag» in der Hand für die Kameras. Eine gemeinsame Friedensaktion von Grünen und DDR-Bürgern in Ost-Berlin wenige Tage später wurde allerdings durch vorbeugende Festnahmen und ein massives Aufgebot an Sicherheitskräften verhindert. Zwischen dem offiziellen Besuchstermin, einem Montag, und der am darauffolgenden Freitag verhinderten Demonstration lag der wöchentliche Sitzungstermin des SED-Politbüros – der Dienstag. So kamen in einer Woche die «Honecker»- und die «Sicherheitsfraktion» auf ihre Kosten. Von solchen Differenzierungen innerhalb der SED gehen politisch denkende DDR-Bürger heute ganz selbstverständlich aus.

Die Realität hat manche früheren Erwartungen im Westen über die innere Entwicklung der DDR widerlegt. Ex-DDR-Bürger Rudolf Bahro zeigte sich Ende 1982 davon überrascht, daß die Initiative zu Veränderungen in der DDR «bei anderen Kräften» liege. Erwartet hatte Bahro eine Reformbewegung des sozialistischen Mittelbaus, tatsächlich kam eine Alternativ- und Aussteigerbewegung der Jugend.

Der Regierende Bürgermeister von West-Berlin und Vordenker der Unionsparteien, Richard von Weizsäcker, steckte bei seinem Auftritt auf dem Wittenberger Marktplatz im September 1983 gar den Rahmen einer neu gedachten Deutschlandpolitik ab. «Mehr als Sprache, Kultur und die Haftung für unsere Geschichte», verbinde Deutschland-Ost und Deutschland-West der Kampf gegen Luftverschmutzung, für den Frieden und gegen den Hunger in der Dritten Welt sowie das deutsch-deutsche gemeinsame Phänomen einer gegen die Älteren aufbegehrenden Jugend.

Wenn das konservative Oberhaupt der – nach Ost-Jargon – «besonderen politischen Einheit West-Berlin» in der sozialistischen Lutherstadt Wittenberg vor 15 000 Zuhörern eine Rede hält, in der er die deutsche Nation als ein Bündnis auf der Grundlage ähnlicher Zivilisationsprobleme neu definiert – wer wird den Clou überbieten? Mit welchem Schauspiel wird die Drehbühne Berlin ihr Publikum in Ost und West als nächstes in Atem halten? Ausgerechnet zum Jahresbeginn 1984 können in und mit der DDR unerwartete politische Chancen ergriffen oder verpaßt werden.

So mancher Beamte aus dem alten Obrigkeitsstaat kommt da jedenfalls nicht mehr mit: Zur Messezeit fährt von West-Berlin aus der Messesonderzug nach Leipzig. Während der Fahrt werden zuerst die Pässe kontrolliert, dann kommt die Zollkontrolle. «Was haben Sie da? Ein Buch?» Der Zollbeamte nimmt es zur Hand, blättert. Es ist ein Fotoband über Kreuzberg. Sein Blick bleibt bei einer Punkerin mit zwei weißen Ratten auf der Schulter. Auf der Seite daneben wird sie zitiert: die eine Ratte heiße Prinz Charles, die andere Lady Di, es seien ihre Haustiere. Der Zöllner starrt immer noch auf das Foto und den Text, reißt sich dann los, klemmt den Bildband unter den Arm und tritt ab mit der Bemerkung, das müsse geprüft werden.

Er kommt nach einer Viertelstunde ohne das Buch zurück, mit einem Formular in der Hand. «Das Druckwerk ist beschlagnahmt wegen Verstoß gegen die Zoll- und Devisenbestimmungen der DDR», sagt er. Ein Verfahren aus dem gleichen Grund sei eingeleitet und gleichzeitig wegen der Beschlagnahme des Druckwerkes eingestellt.

Auf die Frage nach den Gründen für die Einziehung antwortet er nicht. Als er seine Zollkontrolle beendet hat, verabschiedet er sich mit der Bemerkung: «Überlegen Sie sich das nächstemal vorher, was Sie mitnehmen, sowas geht doch nicht durch.»

Der Zug hält im Leipziger Hauptbahnhof. In der Bahnhofshalle, zwischen Hutträgern, Glatzköpfen und Blondinen schimmert etwas: Es sind die grün-roten Haare eines Punkerpärchens – aus Leipzig.

Ein Blick auf die Schultern – nein, Ratten sitzen dort nicht.

«Eine brillant geschriebene, gescheitkühne Analyse, witzig
und profund.»   *Abendzeitung München*
«Eine der wenigen realistischen und doch gleichzeitig farbigen
Schilderungen der DDR.»   *Heilbronner Stimme*
«Der Abstand, mit dem dieser Brite die DDR anschaut, führt
ihn zu atemberaubend vernichtenden Vergleichen.   *NDR*

SPIEGEL-BUCH

Der Minister und der Terrorist
Gespräche zwischen Gerhart
Baum und Horst Mahler
(vergriffen)

Überlebensgroß Herr Strauß
Ein Spiegelbild – Heraus-
gegeben von Rudolf Augstein
(vergriffen)

Ariane Barth/Tiziano Terzani
Holocaust in Kambodscha
(vergriffen)

Hans Werner Kilz (Hg.)
Gesamtschule
Modell oder Reformruine?

Renate Merklein
Griff in die eigene Tasche
Hintergeht der Bonner
Sozialstaat seine Bürger?

Werner Meyer-Larsen (Hg.)
Auto-Großmacht Japan

Marion Schreiber (Hg.)
Die schöne Geburt
Protest gegen die Technik
im Kreißsaal

Wolfgang Limmer
**Rainer Werner Fassbinder,
Filmemacher**
(erweit. Neuaufl. Sept. 1982)

Fritjof Meyer
**China – Aufstieg und Fall
der Viererbande**

Hans Halter (Hg.)
Vorsicht Arzt!
Krise der modernen Medizin

Adam Zagajewski
Polen
Staat im Schatten der
Sowjetunion

Paul Lersch (Hg.)
Die verkannte Gefahr
Rechtsradikalismus in der
Bundesrepublik

Hans-Dieter Degler (Hg.)
Vergewaltigt
Frauen berichten

Michael Haller (Hg.)
Aussteigen oder rebellieren
Jugendliche gegen Staat
und Gesellschaft

Wilhelm Bittorf (Hg.)
Nachrüstung
Der Atomkrieg rückt näher

Timothy Garton Ash
**Und willst du nicht
mein Bruder sein. . .**
Die DDR heute

Werner Harenberg
Schachweltmeister

Jürgen Leinemann
Die Angst der Deutschen
Beobachtungen zur
Bewußtseinslage der Nation

Rolf Lamprecht
Kampf ums Kind
Wie Richter und Gutachter
das Sorgerecht anwenden

Jochen Bölsche (Hg.)
Natur ohne Schutz
Neue Öko-Strategien
gegen die Umweltzerstörung

SPIEGEL-BUCH

SPIEGEL-BUCH

Edward M. Kennedy
Mark O. Hatfield
Stoppt die
Atomrüstung

Walter Gloede
Hans-Joachim Nesslinger (Hg.)
Fußballweltmeisterschaft

Jörg R. Mettke (Hg.)
Die Grünen
Regierungspartner von morgen?

Joachim Schöps (Hg.)
Auswandern
Ein deutscher Traum

Peter Glotz/Wolfgang Malanowski
Student heute
Angepaßt? Ausgestiegen?

Klaus Bölling
Die letzten 30 Tage
des Kanzlers Helmut Schmidt
Ein Tagebuch

Klaus Umbach (Hg.)
Richard Wagner
Ein deutsches Ärgernis

Renate Merklein
Die Deutschen werden ärmer
Staatsverschuldung –
Geldentwertung – Markteinbußen
Arbeitsplatzverluste

Horst Herrmann
Papst Wojtyla
Der Heilige Narr

Heinz Höhne
Die Machtergreifung
Deutschlands Weg in die
Hitler-Diktatur

Joachim Schöps
Die SPIEGEL-Affäre
des Franz Josef Strauß

Jochen Bölsche (Hg.)
Die deutsche Landschaft stirbt
Zerschnitten – Zersiedelt – Zerstört

Christian Habbe (Hg.)
Ausländer
Die verfemten Gäste

Stephan Burgdorff (Hg.)
Wirtschaft im Untergrund

István Futaky (Hg.)
Ungarn –
ein kommunistisches Wunderland?

Werner Meyer-Larsen (Hg.)
Der Orwell-Staat 1984
Vision und Wirklichkeit

H.-P. Dürr, H.-P. Harjes,
M. Kreck, P. Starlinger (Hg.)
Verantwortung für den Frieden
Naturwissenschaftler
gegen Atomrüstung

Oskar Lafontaine
Angst vor den Freunden
Die Atomwaffenstrategie
der Supermächte zerstört
die Bündnisse

Michael Naumann
Amerika liegt in
Kalifornien
Wo Reagans Macht herkommt

Jochen Bölsche (Hg.)
Das gelbe Gift
Todesursache: Saurer Regen

SPIEGEL-BUCH